D0232266

HET ZILVEREN ERFGOED

Anne Sietsma

Het zilveren erfgoed

VCL-serie

ISBN 90 5977 077 3
NUR 344

Omslagillustratie: Kees van Scherpenzeel
Omslagbelettering: Van Soelen, Zwaag
www.vclserie.nl
ISSN 0923-134X

1

Leeuwarden, augustus 1735.

Het is laat in de middag. De warmte van de dag heeft plaats gemaakt voor een aangename koelte. Aagje Roorda staat in de eetkamer en kijkt of alles in orde is voor de maaltijd. Op het hagelwitte damast is geen vlekje te bekennen. Het bestek ligt op de goede plaats naast de borden. De kaarsen op de twee zilveren kandelaars zijn al aangestoken. Ze glimlacht voldaan. In dit huis heeft zij het voor 't zeggen. Ze waakt er over dat alles er tot in de puntjes verzorgd uitziet.

Wiardus Roorda komt binnen. Een lange, enigszins statige man met vriendelijke grijze ogen.

„Goeiemiddag Agatha."

„Dag papa."

Wiardus neemt de stoel aan het hoofd van de tafel. In één oogopslag heeft hij gezien dat alles er onberispelijk uitziet.

„Waar blijft Marije?"

„Ik weet het niet. Ze is gewaarschuwd dat het etenstijd is."

Ze wachten zwijgend, Wiardus nog met zijn gedachten bij het werk, Aagje wrevelig omdat ze het niet gepast vindt dat de jongste te laat aan tafel komt.

De deur van de eetkamer vliegt open. Marije draaft naar binnen en zoekt haastig haar plaats op.

„We moesten op je wachten," zegt Aagje.

„Ik was met een ontwerp bezig," legt Marije uit.

„Daarom hoef je niet te laat aan tafel te komen. Die tekening loopt heus niet weg."

Aagje hoort zelf hoe snibbig haar woorden klinken. Ze wilde wel dat ze Marije vriendelijker had terechtgewezen. Maar het is gezegd en spijt betuigen ligt niet in haar aard.

Wiardus kan zijn jongste dochter heel goed begrijpen. Hij is zilversmid en doet zijn werk met hart en ziel. Als hij zelf met een ontwerp bezig is kan hij alles om zich heen vergeten. Maar Marije moet wel leren om de regels van het huis in acht te nemen.

„Wat je in haast nog even afmaakt, is meestal niet het beste werk," zegt hij.

Marije knikt.

„Ik zal er aan denken papa."

Het klinkt onderdanig, maar Wiardus vraagt zich af hoeveel ervan terecht komt. Marije gaat zo volledig op in haar tekenkunst dat ze er alles voor aan de kant zet. Dat begon al toen ze een jaar of tien was. Hij deed haar bij een goede tekenleraar op les. In de loop der jaren ontwikkelde ze haar talent. De laatste twee jaar gaat ze naar het atelier van een glasgraveur, die haar het moeilijke ambacht bijbrengt. De man is goed te spreken over zijn leerling. Wiardus zelf ziet het ook. Ze komt met mooie dingen thuis. In het begin waren het eenvoudige motieven op niet al te dure glazen. Gaandeweg werden de voorstellingen ingewikkelder en het materiaal kostbaarder. Marije heeft onmiskenbaar haar talent van hem geërfd. Was ze maar een jongen! Dan had hij haar in zijn eigen werkplaats kunnen opleiden tot zilversmid. Maar voor een vrouw is dat geen gepast werk. Nu heeft hij geen opvolger. Want zijn zoon, de oudste in het gezin... Nee, aan hem wil Wiardus op dit moment niet denken.

Aagje laat de zilveren tafelbel rinkelen. De dienstbode komt binnen met de schalen. Ze zet ze op tafel en kijkt afwachtend naar Aagje.

„Had u verder nog iets gewenst?"

„Nee Feikje, zo is het goed."

Wiardus spreekt het dankgebed uit en bedient zich als eerste.

„Lekker, gestoofde schol," zegt Marije. Ze schept haar bord flink vol en giet er rijkelijk saus over. Van Aagjes afkeurende blikken trekt ze zich niets aan. Als de borden leeg zijn vraagt Wiardus:

„En dames, wat hebben jullie vandaag beleefd?"

Hij kijkt naar Aagje, die de oudste van de twee is.

„Vanmiddag was ik immers naar die ontvangst, bij Joukje en Eelco Roukema."

Wiardus knikt. De jonge Roukema is zilversmid. Hij zal over een paar jaar de werkplaats van zijn vader wel overnemen. In mei is hij getrouwd met Joukje, een van Aagjes vriendinnen.

„Het was heel gezellig, er waren zeker twintig gasten."
„Wat je gezellig noemt," mompelt Marije.
Aagje let niet op haar zusje.
„We hebben muziek gemaakt en een beetje gedanst. Joukje had dezelfde jurk aan die ze ook op haar bruiloftsdag droeg. Met zilveren stiksels in het lijfje en een hele wijde rok."
„Kon ze daarmee wel dansen?" vraagt Marije.
„Natuurlijk wel. Het was prachtig om te zien, zo sierlijk."
„Maar ze deden vast geen contradans," houdt Marije vol.
Zelf houdt ze het meeste van die zwierige, snelle dans. Honderd keer beter dan zo'n vormelijk menuet.
„We waren niet op een boerenbruiloft," zegt Aagje verontwaardigd. En omdat ze vastbeloten is haar verhaal helemaal af te maken, gaat ze verder:
„Ik hoorde dat Prinses Anna weer in blijde omstandigheden is."
Dat vinden de beide anderen goed nieuws. Prins Willem en zijn vrouw willen dolgraag kinderen. Al een paar keer kregen ze een teleurstelling te verwerken. Iedereen leeft mee met het jonge stel, zeker de mensen in Leeuwarden. Prins Willem is immers hún stadhouder. Ze hebben hem zien opgroeien tot een vriendelijke, verstandige jongeman. Ze hebben feestgevierd toen hij trouwde met de Engelse koningsdochter. En nu komt er wellicht een jonge tak aan de oranjeboom.
„Dat is een goed bericht," zegt Wiardus. „Het zou fijn zijn als de Prins een erfgenaam kreeg. Al die veldtochten eisen een zware tol en hij heeft een zwakke gezondheid."
„Niet zo somber papa," zegt Aagje. „De Prins is jong, we hopen dat hij nog lang bij ons zal zijn."
„Zeker, dat hoop ik ook."
„Dan wordt Marijke-Meu grootmoeder," zegt Marije. „Dat zal ze geweldig vinden."
„Vast en zeker." Wiardus' gedachten dwalen naar de Vrouwe van het Princessehof, die de nodige ellende heeft meegemaakt in haar leven. Maar ze heeft zich er dapper en gelovig doorheen geslagen. Straks houdt ze haar eerste kleinkind in de armen. Hij gunt het haar van harte.

„En, wat hebt ú vanmiddag gedaan papa?" vraagt Marije plagerig. „Naar het koffiehuis geweest?"
„Foei famke, wat denk je wel? Zou je oude vader zijn tijd verdoen met koffiedrinken? Ik heb hard aan de fopkan gewerkt."
„Hoe ver bent u?"
„Hij is klaar. Ik heb hem in mijn comptoir*) gezet. Morgen wordt hij opgehaald."
„Mag ik hem zien?"
„Straks."
Na de maaltijd gaan ze naar de groene kamer, waar Feikje de koffie serveert. Wiardus haalt zijn kan en zet hem op tafel. Marije bekijkt hem geïnteresseerd.
„Hij is prachtig papa. Wat een mooie ajourrand."
Haar vingers glijden over de bovenste rand van de beker, die helemaal opengewerkt is.
„Hoe kun je daar ooit uit drinken?" vraagt Aagje. „Zo gauw je een slok neemt krijg je alles over je kleren."
„Dat is juist de grap," legt Wiardus uit. „Ze noemen het niet voor niks een fopkan."
„Wie koopt er nou zoiets?"
„Deze is besteld door de vrouw van Van Haersma. Het is een cadeau voor zijn verjaardag, zei ze. Ik denk dat het ook een stille wenk aan haar man is, dat hij wat matiger moet zijn in zijn drinken."
„Uit deze kan krijg je helemaal niks binnen," zegt Aagje. „Als ik die man was zou ik nog liever uit een aarden kan drinken."
„Dat denk je. Maar ik heb je nog niet alles verteld. Kijk, hier achter heb ik een geheim kanaaltje gesoldeerd, daar kun je wél door drinken. Tenminste, als je het voorzichtig doet, met heel kleine slokjes."
„Erg elegant zal dat niet gaan," meent Aagje.
„Nee, het is vooral een aardigheid. Met een kleine vermaning erbij."
Marije bestudeert de beker aandachtig.
„Hoe hebt u dat kanaaltje eraan gesoldeerd papa?"

*) kantoor.

Hij geeft omstandig uitleg, blij met de interesse die Marije heeft voor zijn werk.

„Kijk, dat tuitje heb ik apart gegoten en daarna... „

Aagje ziet ze staan, samen gebogen over het zilver. Twee mensen die boven alles opgaan in het ambacht, twee gelijkgezinden, die de rest van de avond nergens anders meer belangstelling voor zullen opbrengen. Terwijl zíj, Aagje, nog lang niet uitverteld was over de ontvangst bij Joukje. Ze had nog willen vertellen hoe ze een paar stukken op het klavecimbel gespeeld heeft en daar veel applaus voor kreeg. Eelco haalde zelfs zijn fluit tevoorschijn en vroeg of ze hem wilde begeleiden. Ze werden overladen met complimenten. Maar hier thuis? Wie luistert er écht naar haar? Ze hangt er maar zo'n beetje bij. Met kleine slokjes drinkt ze haar koffie, zonder er veel van te proeven. Dan staat ze op en gaat naar de salon. Het klavecimbel staat bij de grote ramen, die uitzien op de tuin. Het avondlicht valt op het toetsenbord. Ze steekt een paar kaarsen aan en begint te spelen. In gedachten is ze weer in het huis van de Roukema's, waar het gepraat verstomt en de gasten om haar heen komen staan. Ze denkt aan Wiebe Camminga, die na het applaus een buiging voor haar maakte, haar hand kuste en zei:

„Mijn complimenten, juffrouw Roorda. Dit was prachtig, ik ben geroerd tot diep in mijn ziel."

Waarna opnieuw applaus klonk en gelach. Wiebe is een overdreven pias, dat weet iedereen. Maar het deed haar toch goed.

Ze speelt de sarabande nog eens. Heerlijk, die langzame, bijna plechtige muziek, waar ingetogen danspassen bij horen. Niks geen contradans. Dat is meer iets voor Marije en haar vriendinnen. Marije zal nooit iets begrijpen van de deftige wereld waar zíj zich thuis voelt. Een wereld vol chic geklede mensen, die in mooie huizen wonen. Marije geeft niet om mooie kleren en beschaafde manieren.

Buiten wordt het donker. Aagje staat op. Ze ziet haar spiegelbeeld in de grote ramen. De elegante japon laat haar tengere figuurtje goed uitkomen. Onder het kanten mutsje komen een paar blonde krulletjes tevoorschijn. In het zachte kaarslicht is het een volmaakt plaatje. Ze glimlacht voldaan en maakt een kleine revérence voor zichzelf. Ze mag gezien worden. Geen wonder dat ze vanmiddag het middelpunt van het gezelschap was.

Wiardus brengt de fopkan terug naar zijn comptoir. Hij hoort dat er in de salon muziek wordt gemaakt. Op z'n tenen gaat hij naar binnen en neemt plaats op een van de stoeltjes vlak bij de deur. Aagje gaat op in haar spel, ze merkt niet dat ze publiek heeft. Des te beter. Met een glimlach luistert hij naar een waterval van tonen, gevolgd door een langzame, statige melodie. Zijn dochter heeft het in de vingers! Hij is blij dat hij haar enkele jaren geleden heeft aangespoord om les te nemen. Eerst wilde ze niet, maar toen ze een paar maanden bezig was begon ze er plezier in te krijgen. Niemand hoefde haar meer aan te moedigen, uit zichzelf zat ze uren achter het klavecimbel. De muziekmeester is heel tevreden, hij zegt dat ze veel talent heeft. Daar is zeker iets van waar. De sarabande wordt bijna volmaakt gespeeld. In deze salon past ook zulke muziek, denkt Wiardus. Hij kijkt met voldoening rond. Een eikenkast vol houtsnijwerk, een duur kleed op de vloer, portretten aan de wand. Jammer dat de salon zo weinig gebruikt wordt.

Aagje sluit haar muziekboek en komt overeind. Ze ziet haar spiegelbeeld en maakt een kleine revérence. Wiardus lacht geamuseerd. Ze is wel ijdel, zijn oudste dochter. Maar ze mag gezien worden. Hij kucht.

„O papa, bent u hier?"

„Ik hoorde je spelen. Dat was voortreffelijk."

„Dank u wel. Het is ook zulke heerlijke muziek."

„Eigenlijk zouden we deze salon wat vaker moeten gebruiken," oppert Wiardus.

„Ik zit hier iedere dag achter het klavecimbel," zegt Aagje verontwaardigd.

„Dat weet ik wel. Het is ook duidelijk te horen aan je spel. Maar ik bedoel iets anders. Deze salon vraagt er bijna om dat we gasten ontvangen."

Aagjes ogen lichten op.

„Zeker papa. Waar denkt u aan?"

„Ik denk aan de verjaardag van mijn oudste dochter, over ruim twee maanden. Hoe vind je het om dan een ontvangst te geven met 's middags al je vrienden en vriendinnen? En 's avonds een wat intiemer souper?"

„Geweldig papa."

Hij glimlacht. Voor zulke feesten is Aagje altijd te vinden. Ze houdt van pronk en pracht, van mooie kleren en deftige manieren. Op gewone dagen leeft Wiardus liefst zo sober mogelijk en hij vraagt van zijn kinderen dezelfde levensstijl. Maar wanneer er een feest wordt gevierd dan is hij gul. Niemand hoeft te denken dat ze bij Roorda op de penning zijn.

Sinds het overlijden van zijn vrouw bestuurt Aagje de huishouding met grote toewijding. Even denkt hij terug aan die gure winterdag waarop hij Gesina naar het kerkhof bracht. Het kwam niet onverwacht, ze was al maanden ziek. Toch gaf het een leegte in huis. Hij is altijd dankbaar geweest dat Aagje de taken van haar moeder als vanzelfsprekend overnam. Zijn dochter is de afgelopen jaren een goede huisvrouw geweest. Het personeel vliegt op haar wenken. Wiardus vraagt zich af of hij haar wel voldoende waardering heeft gegeven. Een feest is een uitstekend idee.

„Het duurt nog een paar maanden, Agatha. Tijd genoeg om alles goed voor te bereiden. Als je eerst eens een lijst maakt met de mensen die je uit wilt nodigen."

„Dat zal ik doen."

„En dan wil ik nog iets zeggen. Ga er maar eens rustig bij zitten."

Ze neemt het stoeltje naast hem. Vragend kijkt ze naar hem op, ook al weet ze wat er gaat komen.

„Je wordt vierentwintig, Aagje. Zou je niet eens uitkijken naar een goede huwelijkspartner?"

„Och." Ze haalt haar schouders op.

„Je wilt toch wel trouwen?"

„Jawel. Maar ik weet echt niet met wie."

„Kom kom, er lopen hier in de stad genoeg jongemannen van goeden huize rond, die je graag aan hun zijde zouden zien."

„Ik weet niet of ik die wel zo aardig vind."

„Trouwen doe je niet voor de aardigheid, Agatha. Het huwelijk is een ernstige zaak, en de bestemming van iedere vrouw. Dat ben je toch met me eens?"

„O, zeker papa."
„Wacht dan niet te lang. Je moeder is er niet meer. En ik ben een oude man. Ik zou je graag veilig in de huwelijkshaven zien binnenvaren."
Ze zucht diep. Een bruiloft is prachtig. Maar om getrouwd te zijn en kinderen te krijgen, dat is geen pretje. Daarover hoort ze genoeg enge verhalen van haar vriendinnen. Aan de andere kant... alleen blijven en een oude vrijster worden lokt haar ook niet aan.
„Ik denk dat je veel steun zou hebben aan een rustige, serieuze man," zegt Wiardus voorzichtig.
„Iemand zoals u papa?" vraagt ze plagend.
Hij schiet in de lach.
„Je hebt gelijk. Maar ik gun mijn dochter ook niet aan de eerste de beste. Wil je er eens ernstig over nadenken?"
„Dat zal ik doen."
„En als je vindt dat je een nieuwe jurk nodig hebt dan mag je er een laten maken."
„Graag papa."
„Ook zou ik je een mooi sieraad willen geven voor je verjaardag. Een armband of halsketting. Je weet dat ik het een eer zou vinden om die zelf te maken."
„Geweldig."
„Of ga je liever bij de goudsmid iets uitzoeken?"
„O nee, niemand maakt zulke mooie dingen als u."
Aagje laat haar blikken door de salon dwalen. Papa heeft gelijk, hij wordt veel te weinig gebruikt. Jammer, zo'n prachtig vertrek. Dure meubels, mooie kasten, glanzende kroonluchters. Eindelijk zullen ze hier weer een ontvangst hebben, een schitterend feest, waarop ze zullen zingen en dansen. Zelf zal ze pronken met haar nieuwe jurk en met het sieraad dat papa speciaal voor haar gaat maken. Wie zal ze vragen? Even glijdt er een schaduw over haar gezicht. De jongemannen worden niet zomaar uitgenodigd. Er schuilt een bedoeling achter. Ik ben een oude man, zei papa. Hij heeft gelijk. Vijfenvijftig, dat is echt oud. De meeste mensen halen de vijftig nog niet. Als hij sterft, dan blijft ze alleen achter in dit huis, met Marije en het personeel. Wil ze dan een man naast

zich hebben? Een rustige, betrouwbare echtgenoot, zoals papa zei? In elk geval geen rokkenjager, zoals Hessel Douwes, die zijn vrouw voortdurend ontrouw is. Toch zijn Hessel en Minke nog maar een paar jaar getrouwd. Zoiets zou zíj nooit kunnen verdragen, ze zou zo'n man nog liever de ogen uitkrabben. Jouke Andringa, zou dat een goede echtgenoot zijn? Hij draaide vanmiddag steeds om haar heen. Veel aandacht heeft ze hem niet gegeven. Jouke is al zo oud, hij is over de dertig. Met een zucht staat ze op. Nu wil ze niet langer over zulke lastige vragen nadenken, ze wil alleen nog maar dromen van het feest.

„Een goede nacht papa."

„Slaap lekker."

Ze gaat de trap op, naar haar slaapkamer. Achter een van de deuren hoort ze Marije zingen. Een liedje dat ze op straat ook vaak hoort, over een matroos die zijn lief vaarwel zegt omdat hij naar Indië moet varen. Ze haalt haar neus op. Weet Marije geen betere liedjes? En heeft ze eigenlijk wel de goede vriendinnen? Aagje denkt met minachting aan Marijes verjaardag, de afgelopen zomer. Als jonge honden renden zij en haar vriendinnen door de kamers. Ze zongen onbetamelijke liedjes en deden een toneelstukje dat eerder op de kermis thuishoorde. En dat op je achttiende verjaardag! Onbegrijpelijk dat papa dat allemaal goed vindt. Maar ja, Marije is ook zijn lieveling, ze kan geen kwaad doen in zijn ogen.

Wiardus blijft achter in de salon. Hij gaat in de gemakkelijke stoel naast de schouw zitten. Het vuur heeft in geen maanden gebrand. De vuurplaat is leeg en aangeveegd, een mand hout staat te wachten. Een doods gezicht, vindt Wiardus. Hij belt Bouke, de huisknecht.

„Wil je mij het rookgerei brengen?"

„Zeker meneer."

Bouke zet pijpen en tabaksdoos op een laag tafeltje. Dan haalt hij het rookkomfoor en slaat handig vuur uit de tondeldoos.

„Wenst u ook een glas wijn meneer?"

„Je verwent me Bouke, wijn op een doordeweekse dag. Doe maar een glas Rijnse."

Nadenkend rookt Wiardus zijn pijp. Feest en vrolijkheid in deze salon, een goed idee. Vroeger waren hier regelmatig ontvangsten en partijen. Vroeger, toen Gesina nog leefde. Zij hield van chic gezelschap, elegante japonnen, schitterende juwelen. Maar Gesina is al bijna twee jaar dood. Het wordt tijd dat er weer gezongen en gelachen wordt, gedanst en gedronken. Het leven moet doorgaan. Aagje en Marije hebben de toekomst vóór zich. Ze moeten niet verstoffen in dit grote huis. Hij heeft ze een goede opvoeding gegeven. Nu verlangt hij ernaar dat ze hun bestemming vinden vóór hij zijn ogen voorgoed sluit. De zorg om zijn dochters ligt hem als een zware last op z'n schouders. Wat moeten ze zonder hem? Een vrouw alleen, dat is niets gedaan. En konden Aagje en Marije het nu maar goed vinden met elkaar...

Zijn pijp is uitgegaan. Vanaf de hoge wand tegenover hem kijken de portretten van zijn ouders op hem neer. Hij staat op en loopt erheen. Zijn vader, streng en sober in het zwart. Een harde werker, die hem het ambacht heeft bijgebracht. Zijn moeder, vriendelijk naar hem ogend. Hij was hun enige kind. Alles is op hem overgegaan, zowel de smederij als dit grote huis. Plus een stevig saldo op de bank. En dat is nog iets waar hij zich verantwoordelijk voor voelt. Want lang geleden heeft hij van een gedeelte van dat geld aandelen gekocht van de VOC. De handel met Indië leverde hem verrassend veel op. Zijn saldo op een Amsterdamse bank groeide met de jaren tot een fortuin, zonder dat hij er iets voor hoefde te doen. Niemand weet van zijn rijkdom, ook zijn dochters niet. Maar nu hij oud is geworden moet hij beslissen wat hij met dat geld wil. Zal hij alles aan zijn kinderen nalaten? Kunnen ze wel omgaan met die overvloed? Of is het beter om een deel aan een goed doel te besteden? Hij kan een hofje laten bouwen, voor arme, bejaarde mensen. Of het weeshuis begunstigen. Hoewel, het financiële beheer is daar de laatste jaren erg slecht geweest. Dus dat kan hij beter niet doen.

Wiardus loopt naar de pronkkast. Achter het glas liggen fraaie voorwerpen uitgestald, de meeste van zilver. Snuifdozen, tabakspotten, het horloge van zijn vader, ringen en armbanden. Eén plank vol miniaturen. Gesina was dol op dat poppengoed. Liefkozend gaan zijn ogen langs de kostbaarheden. Allemaal familiestukken, sommige meer dan honderd jaar oud. Welke handen hebben dit zilver vastgehouden, welke ogen hebben er in bewondering naar gekeken? Straks is het voor zijn dochters. Aagje houdt van de voorname schittering, Marije heeft vooral oog voor het knappe vakmanschap. Het zilver blijft, hij zelf is eindig. Even doet dat besef hem pijn. Tegelijk neemt hij zich voor om, zoveel hij kan, een goede bestemming te vinden voor al zijn rijkdommen.

Het is begin september. Er hangen dikke wolken in de lucht waar af en toe wat motregen uit valt. Wiardus staat achter zijn werkbank, de graveerstift in zijn hand. Zo laat op de dag komt er weinig licht van buiten. Hij schuift de lamp iets dichter naar zijn werk. Er is een zilveren theebus besteld door Tadema. Een cadeautje voor zijn vrouw. Op het deksel moeten de initialen gegraveerd worden, een W en een T. Wiskje Tadema. Wiardus heeft een ontwerp getekend waar Tadema heel tevreden over was. Nu moeten de letters secuur in het deksel gegraveerd worden. Maar zijn ogen zijn moe geworden na de lange dag. Hij legt zijn stift neer. Hij moet ophouden. Morgenochtend zal het beter gaan.

Het is rokerig in de werkplaats. Oege, de tweede knecht, stookt de smeltoven op. Wiardus ziet dat hij het deksel niet goed op de oven heeft liggen. Hij wijst de knecht op zijn slordigheid. Oege maakt vaker fouten. Gelukkig zijn de beide anderen heel secuur.

Folkert, de leerling-knecht hamert een schaal uit. Hij gaat volledig op in zijn werk en merkt niet dat Wiardus naar hem staat te kijken. Bij de achterste werkbank is Aykema bezig, de eerste knecht. Wiardus geeft hem de sleutels.

„Wil jij straks alles afsluiten Aykema?"

„Goed meneer."

„Denk je dat je dit roomstel van de week nog afkrijgt?"

„Waarschijnlijk wel. Misschien heb ik de maandag er nog bij nodig."

„Uitstekend."

In één oogopslag heeft Wiardus al gezien dat Aykema weer een meesterwerkje maakt. Niemand zou het hem verbeteren. Wiardus is blij met zijn eerste knecht. Een knappe vakman en ook een beminnelijk mens. Hij kan goed omgaan met de andere knechts.

Zelfs Oege, die jaren ouder is, erkent hem als zijn meerdere. Wiardus laat de werkplaats met een gerust hart aan Aykema over.

Met een groet verlaat hij de werkplaats. Buiten ademt hij met welbehagen de vochtige lucht in. Nu heeft hij trek in koffie. Op zijn gemak wandelt hij naar zijn huis aan de Nieuwestad. Maar plotseling schiet het hem te binnen dat Aagje vanmiddag een vriendin op bezoek heeft. Daar wil hij niet bij zitten. Dan is het koffiehuis gezelliger.

Vlak bij het Raadhuis ziet hij iemand lopen die hij een lange tijd niet gezien heeft.

„Johannes!"

„Meneer Roorda."

Beiden zijn ze verrast.

„Ik was juist op weg naar het koffiehuis. Heb je zin om een kop koffie met me te drinken?"

„Heel graag."

Wiardus kijkt waarderend naar de jongeman. Een goudgeel vest over een wit overhemd. Een donkerbruine kuitbroek, witte kousen, donkerbruine schoenen. Hij ziet er goed uit. Heel anders dan enkele jaren geleden, toen hij als jongste knecht werkte in de bierbrouwerij.

Wiardus gaat hem vóór.

„Kijk, in dit hoekje zit ik meestal. Maak het je gemakkelijk."

De waard vraagt wat de heren wensen en brengt het even later. Koffie met room en een schaaltje klontjes.

„Wanneer ben je afgestudeerd Johannes?"

„Eind juni."

„Nu ben je dus meester in de rechten. Meester Douma."

Johannes glimlacht bescheiden.

„Vond je het moeilijk om afscheid van Franeker te nemen?"

„Nee, dat viel erg mee. Ik hoorde zo langzamerhand bij de oudste studenten."

„Dus geen kwajongensstreken meer?"

„Daar heb ik nooit tijd voor gehad."

Nee, natuurlijk niet, denkt Wiardus, terwijl hij van zijn koffie proeft. De eerste paar jaar dat Johannes in Franeker studeerde, leefde zijn vader, de brouwersknecht nog. Hij en zijn vrouw moesten zich alles ontzeggen om hun zoon te laten studeren. Maar vader Douma overleed en Johannes moest op stel en sprong thuiskomen om de kost te verdienen. Wiardus ziet de jongen nog vóór zich. De armoedige kleding, het smalle gezicht met de donkere kringen onder de ogen. De akelige hoest, die nooit overging. In die jaren heeft hij Johannes leren kennen én waarderen. Een paar avonden per week had hij hem in dienst als secretaris. De brieven die de jongen schreef waren onberispelijk, hij hoefde ze alleen nog maar te ondertekenen. Na afloop speelden ze vaak een spelletje schaak.

Maar op een dag raakte hij zijn secretaris weer kwijt. Dieuwertje, Johannes' jongere zusje, trouwde met een meester meubelmaker. Het jonge stel raakte in goeden doen. Beiden vonden dat Johannes terug moest naar Franeker. Ze bekostigden de laatste jaren van zijn studie. En nu is hij terug in Leeuwarden, als afgestudeerd jurist.

„Heb je meteen werk gevonden Johannes?"

„O ja, notaris Buwalda was blij dat ik hem kon komen helpen. Ik zit alle morgens op zijn kantoor. En 's middags ontvang ik mensen die me om raad komen vragen."

„Zozo, dus je hebt ook al een eigen cliëntèle."

„Wat zegt u dat mooi. Maar ja, er moeten altijd weer geschillen worden opgelost. En daarvoor is advies nodig van iemand, die de regels kent."

„Doe je het graag?"

„Ja, ik vind het fijn werk. Het liefst geef ik rechtshulp aan mensen die het niet zo breed hebben."

Wiardus vemoedt dat de tarieven van Johannes niet bijzonder hoog zullen liggen. Daarvoor heeft de jongen zelf te lang in armoede geleefd. Hij wenkt de waard en vraagt om nog een kop koffie.

„Wil je ook iets eten Johannes?"

„Nee, dank u wel, mem rekent op mij."

„Woon je bij haar?"

„Nee, daarvoor is haar huisje te klein. Ik heb in de Peperstraat een benedenwoning gehuurd. De grootste kamer is mijn kantoor, de kleinste mijn slaapvertrek. Eten doe ik bij mem. Zij vindt

het gezellig en voor mij is het gemakkelijk."
„En waar breng je je avonden door?"
„Soms bij mem. Soms bij mijn zusje en haar man. Of ik zit in mijn kantoor om nog wat dossiers te bestuderen."
„Je vindt mij vast een nieuwsgierige oude man."
„Integendeel, uw belangstelling doet mij goed."
„Er speelt ook eigenbelang mee, Johannes. Ik zit namelijk met een probleem. Heb je wat tijd voor me?"
„Voor u zeker. Wat kan ik voor u doen?"
Wiardus legt het uit. Eén van zijn klanten, de heer Eisinga, doet regelmatig een bestelling. Maar hij is heel traag van betalen. Verleden najaar heeft Wiardus een zilveren theeservies aan hem geleverd, met de nota erbij. Tweemaal heeft hij een aanmaning moeten sturen. Maar nog steeds heeft hij geen geld gezien.
„Dus hij is bijna een jaar te laat met betalen," zegt Johannes. „Dat is ontoelaatbaar."
Wiardus knikt.
„Ik zit er echt mee. Aan de ene kant is hij een goede kennis en een vaste klant. Aan de andere kant begint het me te vervelen."
„Dat begrijp ik."
„En Eisinga is niet de enige. Het schijnt tegenwoordig in de mode te zijn dat je je rekeningen niet betaalt. Johannes, zou jij namens mij enkele brieven willen schrijven? Beleefd maar ook eh… nou ja, mijn geduld is op."
„Dat doe ik graag voor u."
„Zou je morgenavond bij mij thuis willen komen?"
„Ja, dat schikt me wel."
„Fijn, Johannes. Je weet dat ik een enorme hekel heb aan het schrijven van brieven."

Johannes stapt de winkel van zijn moeder binnen. Verschrikt kijkt ze op.
„Is het al zó laat? Het eten is nog niet klaar."
„Had mem veel klanten?"
„Het was erg druk."
„Gelukkig maar."
„Ik zal voortmaken."

Haastig begint ze linten op te rollen en knoopjes te verzamelen in een doos. Hij legt zijn hand op haar mouw.

„Ach mem, doe het toch rustig aan."

„Maar jongen, als er zometeen nog een klant komt en het is hier zo'n brol *). Wat moet zo iemand niet denken?"

„Nou, prachtig toch. Dan ziet de dame in kwestie meteen wat een moois hier is te krijgen, en dat er goed verkocht wordt ook."

Zo kan moeder Jitske er niet over denken.

„Ik zie liever een opgeruimde winkel. Wil je een kroes dunbier?"

„Nee, dank u wel. Ik heb koffie gedronken met meneer Roorda."

Hij loopt door naar de grote woonkeuken die achter de winkel ligt en gaat in de leunstoel zitten. De stoel waar zijn vader vroeger in zat. Vader... hoe lang is die nu al dood? Vier, vijf jaar. Hij was eerste knecht in de bierbrouwerij. Maar hij werd steeds zieker door de ongezonde lucht die hij daar alle dagen inademde. Het is Johannes of hij de droge hoest weer hoort, de raspende ademhaling tijdens het laatste ziekbed van zijn vader. Vijf jaar zijn er sindsdien voorbijgegaan. Hij heeft zijn vader niet erg gemist. Een zwijgzame, stuurse man, die overal wat op aan te merken had. Nee, dan vindt hij moeder Jitske veel liever. En Dieuwertje! Ze waren enorm op elkaar gesteld. Hij herinnert zich dat ze tranen met tuiten huilde toen hij voor de eerste keer naar Franeker vertrok om rechten te gaan studeren. Regelmatig schreef ze hem een lange brief, waarin ze vrolijk en openhartig verslag deed van al haar belevenissen. Hij heeft de brieven trouw bewaard en in perioden van heimwee weer doorgelezen. Nu zitten ze veilig opgeborgen in een la van zijn grote bureau.

Dieuwertje! Hij glimlacht. Ze is intussen een getrouwde vrouw, ze heeft een man en een kind. Maar ergens is ze toch dat vrolijke, speelse meisje gebleven. Gelukkig maar. Hij kent jonge vrouwen die met tobberige gezichten rondlopen en er uitzien of ze het beste stuk van hun leven al gehad hebben. Dieuwertje is anders. Die kan genieten van kleine, goede dingen. Die weet van elke dag een

*) bende, rommel.

feest te maken. Ze heeft het getroffen met haar man. Jan Anne, een knappe meubelmaker, meester in het ambacht.

Moeder Jitske komt binnen. Ze hangt een kookketel aan de haal en stookt het vuur op. Dan zet ze de borden op tafel en legt de lepels ernaast. Er trekt een heerlijke geur door de keuken.

„Mag ik eens raden wat er in die ketel zit, mem?"

„Zeg het maar."

„Mokselsop." *)

„Je neus is goed. Vanmorgen vroeg waren er verse mosselen op de markt. Ik heb er meteen een pastinaak bij gekocht."

„Heerlijk."

Johannes is blij dat zijn moeder het zoveel breder heeft sinds hij haar kostgeld betaalt. In de paar jaar dat hij als jongste knecht in de brouwerij werkte, kwam het geld met stuivers binnen. Nu zijn het guldens, en hij laat zijn moeder van harte delen in zijn rijkdom. Ze heeft altijd zo hard gewerkt en zo toegewijd gezorgd.

„Dus je hebt meneer Roorda weer ontmoet? Hoe gaat het met hem?"

„Een jaartje ouder, maar goed gezond zo te zien." Johannes lacht. „Hij liet zich de koffie in ieder geval goed smaken."

„Denk je dat hij het redden kan, zo alleen?"

„Nou nou, alleen? Hij heeft twee vrouwen om zich heen. En dan nog het personeel."

„Maar zijn dochters zijn nog zo jong."

„Vindt u mem? Aagje is een jaar ouder dan onze Dieuwertje."

„Ach ja, je hebt gelijk. Het is vast al een hele dame."

„Meneer Roorda vroeg me of ik een paar brieven voor hem wilde schrijven."

Verrast kijkt ze hem aan.

„Net als vroeger."

Jitske zet de soepketel op tafel. Terwijl ze de telloren volschept denkt Johannes na over haar laatste woorden. Net als vroeger. Ja, maar toch anders. Zopas, in het koffiehuis, voelde hij zich vrij en op zijn gemak. Jaren geleden, toen hij nog brouwersknecht was, beschouwde hij het als een gunst dat meneer Roorda hem schrijf-

*) Mosselsoep.

werk liet doen. Ook al had hij toen al een paar jaar rechten gestudeerd, toch vond hij het een hele eer dat zo'n hooggeplaatste man hem als secretaris wilde hebben, en hem bovendien zo'n royale beloning gaf. Nu vroeg meneer Roorda hém om een gunst. Het gesprek verliep in zo'n ongedwongen sfeer, ze zaten bijna als vrienden bij elkaar. Een beginnende jurist van eenvoudige komaf en een gevierde zilversmid, uit de hoogste kringen van Leeuwarden.

Opeens schiet hij in de lach.

„Wat is er?" vraagt Jitske.

„We hebben het niet eens over een honorarium gehad."

„Dat moet je dan maar zo gauw mogelijk regelen."

„Welnee mem, bij meneer Roorda is dat niet nodig."

„Je hebt veel vertrouwen in hem."

„Ja, hij is integer tot in de toppen van zijn vingers. Maar vertel me nu eens, hebt u Dieuwertje vandaag nog gezien?"

„Nee, ze is niet langs geweest. En ik had het veel te druk met de winkel."

„Ik zal haar gauw weer eens opzoeken."

2

Zachtjes zingend loopt Marije naar huis, de tekenmap onder haar arm. Wat een geluksvogel is ze toch. Twee middagen in de week naar het atelier van de glasgraveur en ook nog één middag naar de tekenleraar. Alle andere lessen die ze moet volgen neemt ze op de koop toe. Die zijn alleen maar nodig omdat ze later een dáme moet zijn, iemand die zich goed kan bewegen in de hogere kringen.

Marije lacht erom. De lessen zijn gezellig, dat is het belangrijkste. Madame Dupont brengt haar en de vriendinnen het Frans bij. Als je niet in die taal kunt converseren dan hoor je er niet bij. Tenminste, dat beweert Aagje. Met dezelfde jongedames gaat ze naar de handwerkles. Daar worden mooie borduurwerken gemaakt, volgens Parijse patronen. Marije is al een keer met een eigen ontwerp aangekomen. Maar dat voldeed niet aan de eisen. Ze heeft er haar schouders over opgehaald. Zolang ze maar kan lachen en babbelen onder het werk.

Zonder er bij na te denken gaat ze door de achterpoort naar binnen. Eigenlijk moet ze via de voordeur, daar heeft Aagje op aangedrongen. Het is niet gepast om door dezelfde ingang te gaan als het personeel. Marije vergeet dit soort dingen het liefste. Later, als ze een dame is, kan ze altijd nog zien wat ze doet.

In de tuin is Bouke, de huisknecht, aan het werk. Hij knipt de kleine heggetjes bij. Als hij Marije ziet gaat hij beleefd aan de kant staan.

„Dag Bouke, het wordt weer kreas.*)"

„Dank u wel juffrouw Marije."

Ze loopt langs het koetshuis en over het smalle paadje langs Titia's kruidentuin. Dan stapt ze de keuken binnen. Feikje is juist bezig met de thee. Ze zet twee porseleinen kopjes op het zilveren dienblad, en een schaal met gebak ernaast. Marije bestudeert het met aandacht.

„Is papa nu al thuis?"

„Nee. Juffrouw Agatha heeft visite."

*) netjes.

Marije weet genoeg. Ze legt haar tekenmap op een stoel en gooit haar mantel er overheen.

„Zal ik uw mantel boven ophangen?" vraagt Feikje gedienstig.

„Doe dat maar niet. Zolang hij niet aan de kapstok hangt ben ik niet thuis."

Feikje pakt het dienblad en gaat gniffelend de trap op. Als juffrouw Agatha haar zometeen vraagt of Marije al thuis is zal ze zeggen: 'De mantel van juffrouw Marije hangt niet aan de kapstok'. Aagje zal tevreden zijn. Ze heeft liever niet dat haar jongere zus erbij komt zitten als zij bezoek ontvangt.

Terug in de keuken schenkt Feikje de thee in aardewerken kommen. Titia, die bij het vuur in de kookpot staat te roeren, laat haar lepel in de steek en gaat Bouke roepen. Met z'n vieren zitten ze aan de keukentafel, blazend in hun hete thee.

„Nou loopt u het gebak mis, juffrouw Marije," zegt Feikje. „Bedenkt u zich niet?"

„O nee. Is er niks meer over van de flutterkoek die Titia gebakken heeft? Die smaakt tien keer zo lekker als dat spul van de banketbakker."

„Nou, vooruit dan maar," zegt Titia gevleid.

Ze haalt een koektrommel uit de provisiekamer en deelt rond.

„Bouke hoeft zeker niet," plaagt ze.

„Jawol, de mage hinget mij op 'e klompen." *)

„Hoe was het thuis Bouke?" vraagt Feikje.

Bouke is de jongste uit een boerengezin dat even buiten Leeuwarden woont. Gisteren, op zijn vrije dag, is hij naar zijn ouders geweest.

„ It giet dat it slydjaget. Doeke is in ein keardel, der sit wurk yn him." **)

Eén dag op de boerderij is voldoende om Bouke al zijn Hollands te doen vergeten. Hier beneden in de keuken is dat geen enkel bezwaar. Maar in aanwezigheid van de Roorda's mag er geen woord Fries gesproken worden.

„Je moest je Hollands maar gauw weer tevoorschijn halen,"

*) ik rammel.

**) Het gaat prima. Doeke is een grote vent, hij kan goed werken.

plaagt Feikje, „want je zult het nodig hebben."
„Hoezo?" vraagt hij verschrikt.
„We krijgen een feest. Juffrouw Agatha ontvangt op haar verjaardag een salon vol gasten. Allemaal van de deftigheid uit Leeuwarden."
Hij haalt zijn schouders op.
„Wat heb ik daarmee te maken?"
„Van alles. Je zult flink moeten aanpakken."
„Wat moet ik dan doen?"
„Eerst de salon in orde maken. En dan helpen met bedienen. Je denkt toch niet dat Titia en ik dat alleen aan kunnen?"
„Nee," aarzelt hij.
Bedienen is niet zijn sterke kant, honderd keer liever werkt hij in de tuin. Een glas wijn naar meneer Roorda brengen, dat lukt nog wel. Maar in zo'n salon vol deftigheid? Zodra hij de afkeurende blikken van juffrouw Agatha voelt, doet hij alles fout.
Marije helpt hem.
„Kom op Bouke, je kunt best bedienen. Ik heb het je vaak genoeg zien doen."
„Met wijn inschenken ben ik altijd zo'n griemer." *)
Titia kijkt hem verwonderd aan.
„Dat heb ik je toch uitgelegd? Even draaien met de fles..."
„Ja, maar het lukt me nooit."
„Dan moet je dat oefenen," roept Marije enthousiast. „Net zo lang tot je de slag te pakken hebt. Is hier een lege wijnfles?"
Titia haalt er een uit de wijnkelder en gaat terug naar haar kookvuur. Marije vult de fles met water en doet het voor.
„Zó hou je de fles beet, hier heb je het servet. Nu schenken en dan hup! even draaien. Klaar."
Bouke oefent boven de gootsteen tot het foutloos gaat.
„En nu bij de tafel. Ik ben de visite en jij serveert mij een glas wijn."
„Echte wijn?" vraagt Bouke verschrikt.
„Nee, gewoon water. In mijn theekom. Maar zonder morsen. En je moet er natuurlijk ook iets bij zeggen."

*) knoeier

Bouke doet zijn best.
„Mag ik u een glas wijn inschenken, juffrouw Marije?"
„Graag." Marije neemt het 'glas' aan. „Geweldig Bouke, helemaal goed. Nog één keer. Nu met een boordevolle fles."
Het lukt. Feikje klapt in haar handen en de jongen lacht gelukkig.
„Wat is dat hier voor een vertoning?" klinkt een snibbige stem vanuit de keukendeur.
Verschrikt kijken ze op.
„O eh... juffrouw Agatha," hakkelt Bouke.
„We zijn aan het oefenen voor je verjaardag, dierbare zus," legt Marije uit. „Bouke kan de wijn nu inschenken zonder één druppel te morsen."
„Dat zal dan tijd worden. Hoe lang ben je hier al in dienst? Misschien is het beter als je nu je werk in de tuin gaat afmaken."
Bouke glipt haastig de keuken uit.
„En waar zat jij, Feikje? Ik heb driemaal voor je gebeld, maar je kwam niet opdagen."
„Het spijt me, ik heb u echt niet gehoord, juffrouw Agatha."
„Heb je soms wol in je oren? Nu heb ik nota bene zelf mijn visite uit moeten laten. Wat zal de dame gedacht hebben? Enfin, ga nu maar gauw de theeboel afruimen."
Feikje maakt dat ze wegkomt.
„En jou begrijp ik ook niet, Marije. Zit je met het personeel in de keuken dwaze dingen uit te halen! Zo leren ze nooit om respect te hebben voor hun meerderen."
Natuurlijk wordt dit in het Frans gezegd. Het personeel hoeft niet te weten waar het over gaat. Maar Titia begrijpt drommels goed wat er gezegd wordt, al laat ze dat niet merken. Onaangedaan roert ze in haar kookpot.
Marije geeft geen antwoord. Ze luistert alleen of Aagjes Frans nu zonder fouten is. Nog steeds niet, ze zal het wel nooit helemaal onder de knie krijgen.
Zodra Aagje naar boven is verdwenen komt Marije bij Titia staan.
„Wat eten we vandaag?"
„Stamppot met schapenvlees."

„O heerlijk, pot-iten. Doe je er ook spek bij, en kruidnagels, net als de vorige keer?"
„Jazeker. Wil jij het brood even snijden?"
Titia glimlacht. Marije is net een musje, dat de regenbui gelaten over zich heen laat komen en daarna vrolijk en onbekommerd verder kwettert. Daarin lijkt ze enigszins op IJsbrand, haar broer, die fluitend door het leven ging. Voor de rest is ze sprekend haar vader. Ze is lang en slank en heeft dezelfde blauwgrijze ogen. Vanaf haar kindertijd heeft ze een mateloze bewondering voor haar vader gehad en voor de mooie dingen die hij maakte. Titia heeft daar niet zo veel verstand van, maar ze ziet wel dat Marije zijn talenten heeft geërfd. Twee verwante zielen, denkt ze wel eens. Was juffrouw Agatha maar net zo. Maar helaas, die heeft allerlei vervelende eigenschappen van haar moeder overgenomen.

Wiardus is blij met de brieven die Johannes heeft geschreven. Hij leest ze door en zet zijn handtekening eronder. Ruim een uur heeft Johannes nodig gehad voor iets waar hijzelf wekenlang tegen opgezien heeft.
„Heb je zin in een partijtje schaak Johannes?"
„Graag, dat heb ik een poos niet gedaan."
Ze gaan naar de groene kamer. Aagje zit in de vensterbank, verdiept in een boek. Marije heeft haar tekenspullen op tafel en schetst een mandje met fruit. Niet gemakkelijk, denkt Wiardus. Hij weet dat hij zijn dochter niet moet storen.
Johannes geeft de zussen een hand. Hij heeft ze in lang niet gezien. Aagje is weinig veranderd. Ze ziet er verzorgd uit. Een jurk die haar smalle figuurtje goed laat uitkomen, keurig gekapt haar. Marije is langer geworden. Hij ziet dat ze sprekend op haar vader gaat lijken. Een smal gezicht met grijsblauwe ogen. Sluik blond haar, dat onder een eenvoudig mutsje uitpiekt.
Wiardus heeft de schaakstukken op het bord gezet.
„Kies jij je kleur maar Johannes."
Het is stil in de kamer. Af en toe is er het geluid van een schaakstuk dat verschoven wordt. Aagje leest niet langer. Met een tevreden gevoel denkt ze aan de afgelopen dag. Een gezellige ontmoeting met Minke Douwes, die ze in de salon heeft ontvangen. Daar

heeft ze haar vriendin verteld over het feest dat ze gaat geven ter ere van haar verjaardag, en over de nieuwe jurk die ze wil laten maken. Minke was erg onder de indruk. Als dank vertelde ze de laatste roddeltjes uit de stad. Ze is altijd goed op de hoogte! Zou ze ook weten met welke dame haar jonge echtgenoot haar op dit moment bedriegt?

Ze dronken thee uit het mooiste porseleinen servies. Het gebak was verrukkelijk. Een erg geslaagde visite. Alleen jammer dat Feikje op 't eind niet kwam opdagen toen ze belde om het bezoek uit te laten. Minke vond het niet erg. Maar zíj wel. Het personeel moet altijd voor je klaar staan. Gelukkig heeft ze Feikje goed op haar nummer kunnen zetten. Zoiets zal niet gauw weer gebeuren. En Bouke? Haar gezicht betrekt. Moet die jongen straks op haar feest de wijn inschenken? Ze rilt als ze aan die zwarte nagels denkt. Misschien wil papa voor die ene dag wel de huisknecht van Menkema lenen. Die ziet er verzorgd uit en hij heeft keurige manieren. Dat heeft ze gezien toen de oudste dochter eind juni haar feest gaf. Dertig jaar werd die toen. Ze is niet getrouwd. Een oude vrijster... Wil zij net zo worden? Nee, dan trouwt ze toch maar liever.

„Schaak!" klinkt het vanuit de andere hoek van de kamer.

„Oei, dat heb ik niet gezien," zegt Wiardus. „Maar wacht eens even, als ik nu mijn loper hierheen verplaats..."

„Dan bent u uw toren kwijt," waarschuwt Johannes.

„Je hebt gelijk."

Wiardus peinst over een betere tegenzet. Johannes wacht geduldig.

Vanuit de vensternis heeft Aagje goed zicht op de beide mannen die in hun spel verdiept zijn. Papa is echt oud, denkt ze. Wat een diepe lijnen lopen er door zijn gezicht. Johannes ziet er goed uit, heel wat beter dan vroeger, toen hij nog als knecht in de brouwerij werkte. In die tijd droop de armoede van hem af. Een versleten jas, schoenen met gaten, slordig haar. Nu is hij eenvoudig maar smaakvol gekleed. Dat moet ook wel, bij het werk dat hij doet. Meester Douma! In de stad wordt nu al met waardering over hem gesproken. Betrouwbaar en bekwaam, met altijd een open oor voor de problemen van de cliënt.

„Schaakmat," zegt Johannes.
„Inderdaad, je hebt gewonnen. Maar ik wil beslist een keer revanche nemen."
Marije komt naast haar vader staan. Verwijtend kijkt ze naar Johannes.
„Dat kost die arme papa zijn nachtrust. Hoe kon je dat nou doen, Johannes?"
Geschrokken kijkt hij haar aan. Net op tijd ziet hij de pretlichtjes in haar ogen.
Wiardus protesteert:
„Zou ik niet tegen mijn verlies kunnen? Je weet wel beter, Marije."
„Een grapje, papa. Ik weet zeker dat u straks heel goed zult slapen."
„Dat wens ik u dan ook toe, meneer Roorda," zegt Johannes terwijl hij opstaat. „Tot ziens dames, het was me een genoegen."

Met een trek van verbazing op z'n gezicht laat Johannes zijn beide bezoekers uit. Hoe is het mogelijk, denkt hij, twee broers die zoveel stampij maken over zo'n kleinigheid. Een erfenis delen is vaak aanleiding tot twist. Maar als die erfenis niet meer is dan een bescheiden moestuin, wat valt er dan nog voor ruzie te maken? Zoals die twee tegenover hem zaten, zo ver mogelijk bij elkaar vandaan! Johannes vermoedt dat er al jarenlang een vete tussen hen heerst. Geen handvol aarde gunden ze elkaar. Toch was de oplossing heel eenvoudig. Geen van beiden wilden ze de moestuin hebben om er hun eigen groenten in te kweken. Daarom heeft hij ze voorgesteld dat híj de tuin zou verkopen, en de opbrengst verdelen, na aftrek van het honorarium. Daar stemden ze allebei mee in. Zo simpel als bonjour! Toch kregen ze het zelf niet voor elkaar. Johannes beseft dat de verhouding tussen de broers dan wel grondig mis moet zijn.
„Dan maak ik de papieren in orde. Wilt u deze week nog langskomen om ze te tekenen?"
Vanuit de geopende voordeur kijkt hij ze na. Zonder elkaar te groeten gaan ze ieder een eigen kant uit. Hoe is het mogelijk, denkt Johannes opnieuw. Hij gaat terug naar zijn bureau, schrijft

de akte en strooit er zand over. Ziezo, de broers kunnen komen. Ieder op z'n eigen moment.

Johannes ruimt zijn spullen op en sluit z'n bureau af. Voor vandaag is het werk gedaan. Hij gaat zijn zusje opzoeken. De hele dag heeft hij zich daar al op verheugd. Hij wordt altijd met vreugde verwelkomd, zowel door Dieuwertje als door de kleine Sjoerd. Die bengel is pas tevreden als hij een ritje op de schouders van omke Johannes mag maken. Soms laat Jan Anne zijn werk in de steek en komt erbij zitten. Het zijn kostbare momenten voor Johannes. Nergens voelt hij zich méér thuis.

Hij loopt het smalle straatje in waar Dieuwertje woont. Twee vrouwen staan in een deuropening te praten. Ze groeten hem vriendelijk. Johannes glimlacht. Ze weten natuurlijk allang dat hij de broer van Dieuwertje is. In deze kleine stad weet iedereen alles van elkaar. Hij licht de klink van de brede poortdeur op en staat op de binnenplaats. Rechts van hem is de werkplaats van Jan Anne. Meestal hoort hij hier het nijvere geklop van hamers. Nu is het stil. Links is het woonhuis. Johannes gaat naar de deur en stapt de keuken binnen.

„Wie is daar?" Dieuwertje komt met een angstig gezicht aangehold uit het achterhuis. „O, ben jij het. Gelukkig."

„Wat dacht je? De boeman?"

Maar Dieuwertje heeft geen aandacht voor een grapje. Haar ogen vullen zich met tranen.

„Wat is er famke? Is er iets vervelends gebeurd?"

„Sjoerd is weg. Ik kan hem nergens vinden."

Johannes schrikt.

„Is hij al lang weg?"

„Nee, een kwartiertje geleden was hij er nog."

„Dan kan hij nooit ver zijn."

Johannes denkt aan het rustige straatje waar de twee buurvrouwen stonden te babbelen. Die zouden het kind zeker gezien hebben, om hem dan gauw weer thuis te brengen. Want aan het eind van het straatje is een vieze gracht...

„Ik help je zoeken."

Ze kijken in alle schuilhoekjes waar een peuter maar in zou kunnen kruipen. Onder de tafel, in de grote kast, in de provisiekast, in de bedstee en in het zijkamertje. Johannes klimt zelfs het trapje naar de vliering op. Geen Sjoerd. Ze gaan naar buiten en speuren achter de vele balken en planken die op de binnenplaats liggen. Zelfs in de groentetuin kijken ze, of hij misschien tussen de koolstronken zit.

„Is Jan Anne er niet?" vraagt Johannes.

„Die is een dekenkist wegbrengen naar een klant. Samen met de krullenjongen."

„Heeft hij Sjoerd soms meegenomen?"

„Dat doet hij nooit. En anders had hij het wel gezegd."

„Misschien is het kind in de werkplaats."

„Daar mag hij absoluut niet komen."

„O, maar kijk eens Dieuwertje, de deur van de werkplaats is niet goed dicht. Kom mee."

Ze lopen haastig naar binnen. Door de hoge ramen valt helder licht. Johannes ziet balken en planken en een half afgemaakte kast. Op de werkbanken ligt nog het gereedschap. Hamers, scherpe beitels, een zaag. Begrijpelijk dat dit verboden terrein is voor een klein kind. Vlug lopen ze rond, hun ogen gaan van links naar rechts. Plotseling blijft Johannes stilstaan. Daar ziet hij het verloren schaap. Met de duim in z'n mond ligt hij te slapen in een half afgemaakte schommelwieg. Hij wenkt Dieuwertje.

„Kom eens kijken."

„O gelukkig, daar is hij."

Ze vliegt naar de wieg toe en wil de jongen oppakken. Johannes houdt haar tegen.

„Laat hem maar even, hij ligt daar zo lief."

Samen blijven ze kijken naar het slapende kind. Op z'n wangen staan vurige blossen, in z'n goudblonde haar hangen een paar houtkrullen. Wat lijkt hij op Dieuwertje, denkt Johannes. Dezelfde parmantige neus, dezelfde vastberaden kin. En wanneer hij wakker is, is hij al even vrolijk en energiek als zijn moeder.

Die schommelwieg is trouwens ook prachtig. Langs de randen is houtsnijwerk, bladeren en ranken. Een mooie druiventros aan het hoofdeinde. Jan Anne is niet alleen een knappe meubelmaker maar ook een kunstenaar in zijn houtsnijwerk.

Buiten klinkt het geluid van de poortdeur. Een wagen wordt de binnenplaats opgereden. Dieuwertje loopt naar buiten en doet geheimzinnig tegen Jan Anne:

„Kom eens kijken. Maar loop op je tenen."

Jan Anne torent boven de schommelwieg uit en kijkt met een glimlach naar zijn slapende zoon. Dan haalt hij een stuk papier en een tekenstift uit een la en begint vlug te schetsen. Twee geloken oogjes, fijne wimpers, een bos krullen. De anderen laten hem alleen en gaan naar de keuken. Dieuwertje zet thee in de grote ketel. Dirk, de krullenjongen, vertelt hoe ze de dekenkist bij hun klant hebben gebracht.

„Die mensen hebben een groot huis, daar zou je nog kunnen verdwalen. We moesten eerst met die kist een trapje op. Toen door een deur die bijna zo groot was als de kerkdeuren en daarna door een lange hal, met glimmende stenen op de vloer. En in hun woonkamer keek je helemaal je ogen uit. Een glazen kast met allemaal kommetjes en zo, een enorme tafel met deftige stoelen erbij en overal zilveren spullen. Kandelaars en een theeservies."

„Jij hebt goed uit je ogen gekeken," zegt Johannes. „En dat met zo'n zware kist in je handen."

„Nou, nee, maar die mevrouw stond nog een hele tijd met meester Gerbrandy te praten en toen kon ik kijken terwijl het niks kostte."

„Misschien kreeg je wel een fooi," zegt Dieuwertje.

„Nou, dat is die dame helaas vergeten. En nu ga ik gauw weer aan het werk. Dank u wel voor de thee, juffrouw Gerbrandy."

Hij schiet in zijn klompen en verdwijnt naar de werkplaats.

Dieuwertje lacht.

„Een aardige jongen. Maar kwetteren als een spreeuw."

„Doet hij zijn werk goed?"

„Meestal wel. Hij leert graag nieuwe dingen."

Dieuwertje schenkt de theekommen nog eens vol.

„Dank je," zegt Johannes. „En vertel me nu eens hoe het met jou is."

Dieuwertje bloost. Ze is opnieuw zwanger. Het is geen gewoonte om daar openlijk over te spreken. Zelfs met mem lukt dat niet. Maar met Johannes is ze zo vertrouwd dat ze er met hem wel over durft te praten.

„Goed hoor, ik heb geen last meer van de ochtendziekte."

„En lust je alles weer?"

„Ja, behalve vis." Dieuwertje lacht. „Er is ook iets waar ik de hele dag trek in heb."

„En dat is?"

„Slimpmolke." *)

„Ja ja, met die lekkere kruiden erdoor. Kaneel en foelie. Dat lust ik ook wel."

„O, maar ik maak het alleen voor de zondagavond. Stel je voor, iedere dag slemp. Maar vertel eens broertje, heb jij nog iets meegemaakt in de afgelopen week?"

„Genoeg. Eén ding vind je vast wel interessant. Ik ben weer naar meneer Roorda geweest, om brieven voor hem te schrijven."

Dieuwertje kijkt verbaasd.

„Jíj? Voor meneer Roorda?"

„Vind je dat zo vreemd?"

„Nou eh... je bent nu een afgestudeerde jurist. Hij kan toch een gewone schrijver zoeken?"

„Misschien wel. Maar die brieven gaan bijna allemaal naar mensen die hun rekeningen niet betalen. En wanneer het over schulden gaat dan is het goed om iemand in te huren die de regels kent."

„Hoezo? Zijn er dan zoveel mensen die wel iets moois kopen maar het niet betalen?"

„Het schijnt zelfs in de mode te zijn om je rekeningen open te laten staan. Volgens meneer Roorda dan."

„Wat erg," zegt Dieuwertje geschrokken.

Johannes lacht. Zijn zusje is nog steeds hetzelfde naïeve kind dat geen weet heeft van het kwaad in de wereld. Zelf zou ze nooit een rekening onbetaald laten, de gedachte zou niet eens in haar opkomen. Liever nog geeft ze iets weg van haar eigen bezit. Dat heeft hij trouwens ruimschoots ervaren in de afgelopen twee jaar. Jan Anne en zij zorgden ervoor dat hij zijn studie in Franeker weer kon oppakken. Door hun financiële steun kon hij afstuderen.

Nu is hij jurist. Zonder hun goedgeefsheid was hij waarschijn-

*)slempmelk.

lijk nog steeds knecht in de bierbrouwerij waar hij zijn longen stuk hoestte.

„De wereld is slecht, Dieuwertje. En daar verdient je broer zijn geld mee."

„Je vindt het nog leuk ook," zegt ze plagend.

„Natuurlijk. Zaken weer recht zien te krijgen, rechtvaardigheid voor iedereen. Dat is toch mooi."

„Eerlijk gezegd ben ik heel trots op je, weet je dat?"

„Wacht maar eens af. Notaris Buwalda vindt dat ik eigenlijk een pruik moet dragen als ik voor hem werk. Dan kun je helemaal trots zijn op je broer."

„Geweldig Johannes, dat zal je goed staan. Welke ga je nemen?"

„Morgen ga ik naar de pruikenmaker. Hij heeft verschillende modellen. De korte pruiken zijn nu in de mode."

„O ja, die heb ik gezien. Met een staart op de rug en een mooie strik erom."

„Zoiets ja. Al liep ik liever zonder."

„In ieder geval kun je dan indruk maken bij de familie Roorda. Daar houden ze wel van zulke deftigheden. Heb je Aagje nog gezien?"

Vanaf de schoolbanken zijn Dieuwertje en Aagje bevriend geweest. Johannes heeft ze altijd een heel ongelijk stel gevonden. Zijn vrolijke, ongecompliceerde zusje en de nuffige rijke jongedame. Toch konden ze het goed met elkaar vinden.

„Ik heb de zussen gezien. Meneer Roorda vroeg mij voor een potje schaak. In de groene kamer, want daar brandde het vuur. De jongedames waren er ook."

„Ging het goed met ze?"

„Daar heb ik niet op gelet. Ik heb meneer Roorda verslagen, dat vind ik veel belangrijker. Marije kwam bij ons staan. Ze zei dat haar vader er wakker van zou liggen."

„Echt?"

„Welnee, ze plaagt maar wat."

Johannes glimlacht. We gingen zo op in ons schaakspel, alsof ons leven ervan afhing. Marije brak met haar grapje door die ernst heen. Zo is ze eigenlijk altijd geweest, denkt hij. Met haar luchtige scherts weet ze de dingen tot hun juiste proporties terug te brengen. Alles wat overdreven is kan ze met een speelse opmerking ontmaskeren. Waarbij ze een ander nooit zal kwetsen. Marije...

Jan Anne komt binnen met zijn zoon op de arm.

„Ziezo deugniet, ga maar gauw naar je moeder. In andermans wieg slapen! Terwijl je helemaal niet in de werkplaats mag komen."

„Intussen had je mooi de gelegenheid om hem uit te tekenen," zegt Johannes.

„Tja, dat kon ik niet laten."

Jan Anne schenkt een kom thee in en trekt een stoel bij.

„Ik snap niet hoe hij in de werkplaats kon komen."

„De deur stond op een kiertje," zegt Dieuwertje. „Ik denk dat jij of Dirk hem niet goed gesloten hebben. We hebben het hele huis afgezocht, hè Johannes?"

„En de tuin. En tenslotte jouw heiligdom, Jan Anne."

„Je kwam dus op het goede moment, begrijp ik."

„Gelukkig wel," zegt Dieuwertje, „ik wist me geen raad."

Met een toegeeflijke glimlach kijkt Jan Anne naar zijn vrouw. Ze is de laatste tijd gauw van slag. Dat komt door haar toestand. Meestal is ze vrolijk, en goed opgewassen tegen moeilijkheden. Dat was al zo toen hij haar leerde kennen, zo'n vijf jaar geleden. Even denkt hij terug aan de tijd dat hij met zijn moeder van Harlingen naar Leeuwarden verhuisde. Hier in de stad was werk genoeg voor een meubelmaker, anders dan in Harlingen. En moeder kon hier een bontwinkeltje beginnen. Haar zaak liep goed, vanaf het begin al. In die tijd leerde hij Johannes en Dieuwertje kennen. Johannes en hij werden vrienden. En Dieuwertje veroverde weldra zijn hart. Met niemand is hij zo hecht verbonden als met deze twee.

Hij heeft zelfs iets aan Johannes verteld waar verder geen mens van afweet. Behalve zijn moeder dan. Zijn eigen vader is een onbekende. Toen zijn moeder een half jaar zwanger was, is ze hals over kop getrouwd met de Harlinger timmerman Sjoerd Gerbrandy. Zo was er een veilig nest waarin hij geboren kon worden. En zijn moeder hoefde niet door het leven te gaan als een ongehuwde moeder, die schande is haar gelukkig bespaard gebleven. Van de man wiens naam hij draagt herinnert Jan Anne zich niets. Toen hij twee jaar was stierf de man. Zo bleven hij en zijn moeder met z'n tweeën achter. De mensen in Harlingen vermoedden misschien iets. Maar niemand had zekerheid.

En hier in Leeuwarden? Geen mens weet ervan en dat hoeft ook niet. De naam van zijn moeder zal hier nooit beklad worden. Harlingen is ver weg, en het is nu bijna dertig jaar geleden dat hij geboren werd. Toch heeft hij vóór hij Dieuwertje vroeg, zijn geheim met Johannes gedeeld. Tenslotte moest Johannes zijn toestemming geven, en hij wilde tegenover hem volkomen eerlijk zijn over zijn afkomst. Bij Johannes is zijn geheim veilig. Aan Dieuwertje hebben ze niets verteld. Voor haar is de timmerman Gerbrandy de vader. Volgens moeder Janna was dat een vriendelijke, al wat oudere man, die heel zorgzaam was voor zijn vrouw en haar kind. Nee, Dieuwertje weet nergens van en waarom zouden ze haar lastig vallen met die oude geschiedenis?

Jan Anne schuift zijn kom bij.

„Zit er nog thee in de ketel, vrouw? En heb jij een goede dag gehad Johannes?"

„Best. Bij Buwalda is werk genoeg."

„De notaris wil dat Johannes een pruik gaat dragen," verklapt Dieuwertje. „Deftig hè?"

„Doe je je werk dan beter?" plaagt Jan Anne. „Dan moet ik me ook maar eens zo'n ding laten aanmeten."

Johannes haalt zijn schouders op.

„Wat mij betreft hoeft het niet. Maar als Buwalda het graag ziet..."

Jan Anne staat op.

„Ik ga weer aan 't werk. Tot ziens Johannes."

„Ik stap ook op. Wil Sjoerd nog een ritje maken op de schouders van omke Johannes?"

De jongen schudt van nee en nestelt zich nog wat steviger tegen zijn moeder aan.

„Hij is net rjocht halich." *) zegt Dieuwertje. „Ik denk dat hij kou heeft gevat."

*) hangerig

Johannes loopt naar de schouw, waar een klein, kersvers portretje van Sjoerd staat.

„Prachtig Dieuwertje. Die man van je is een echte kunstenaar!"

„Vind ik ook. Doe mijn hartelijke groeten aan mem, wil je?"

3

Die nacht droomt Dieuwertje dat ze een hond hoort blaffen. Verbaasd komt ze overeind. Maar dan schrikt ze, want het geluid klinkt opnieuw en het komt uit het zijkamertje. Haastig stommelt ze uit de bedstee en schiet in haar muilen. Bezorgd buigt ze zich over het bedje van Sjoerd.

In het halfdonker ziet ze bijna niets, maar ze hoort genoeg. Een moeizame, piepende ademhaling. En opnieuw die vreemde hoest.

„Jan Anne, kom eens gauw."

„Wat is er?" klinkt het slaperig.

„Maak eens licht. Sjoerd is ziek."

Slaapdronken klimt hij uit de bedstee en steekt een kaars aan. Samen buigen ze zich over het bedje van hun zoon. In het flakkerende licht zien ze hoe het kind naar adem ligt te happen. Kleine, hese geluidjes komen uit zijn mond. Dieuwertje legt een hand op zijn voorhoofd. Echt warm is hij niet.

„Jan Anne, wat heeft Sjoerd?" vraagt ze bang.

„Ik weet het niet zeker, maar ik had dit als kind ook wel eens. Wat deed moeder daar ook al weer aan? Een vochtige doek, geloof ik."

„Een doek? Waar dan?"

„Ik weet het niet Dieuwertje. Ik haal onmiddellijk moeder erbij."

„Zo midden in de nacht?"

„O ja, ze zou heel verontwaardigd zijn als we dat niet deden. Zij weet wel raad."

Dieuwertje moet er niet aan denken dat ze haar eigen moeder midden in de nacht wakker zou maken vanwege een ziek kind. Ze zou volledig overstuur raken. Maar haar schoonmoeder is anders. Die blijft rustig onder alle omstandigheden. Bezorgd blijft Dieuwertje bij het bedje van Sjoerd staan. Ze legt zijn verkrampte vuist in haar hand en zegt sussende woordjes tegen hem. Er komt een nieuwe hoestaanval. Ze ziet hoe benauwd de jongen het heeft, hij vecht om lucht binnen te krijgen. Als hij maar niet zal stikken vóór er hulp is!

Gelukkig, daar is Jan Anne terug, met zijn moeder. Die werpt één blik op Sjoerd.

„Een warme doek om zijn hals," zegt ze. „En verder moet de lucht in het kamertje goed vochtig zijn. Zet je droogrek hier naast het bedje, Dieuwertje. Goed, en nu natte doeken er overheen."

Dieuwertje is zielsblij dat haar schoonmoeder er is met haar kundige aanpak. Haar angst ebt weg. Aandachtig kijkt ze naar Sjoerd. Het lijkt of er al wat verlichting komt. Tot een nieuwe hoestbui hem overvalt.

„Het kan wel even duren," zegt Janna.

Ze pakt een krukje en gaat bij het bed zitten. Na een uurtje lijkt het of er geen nieuwe aanvallen meer komen.

„Ik denk dat hij nu wel rustig zal slapen. Gaan jullie ook maar naar bed. Nee Jan Anne, ik kom wel alleen thuis."

„Geen sprake van," zegt hij, „zo midden in de nacht."

Dieuwertje ligt nog heel lang wakker. Bezorgd luistert ze naar de geluiden die uit het zijkamertje komen. Het enige wat de stilte in huis verstoort is het gesnurk van Jan Anne.

De eerste klant die de volgende ochtend binnenstapt in de stadsapotheek is een lange, donkere vrouw. De apotheker kent haar niet. En de kruiden waar ze om vraagt heeft hij ook niet. Janna gaat terug naar huis. Ze legt een briefje in de etalage van haar bontwinkeltje. 'Hedenmorgen gesloten.' Dan loopt ze naar de kade en stapt op de trekschuit naar Franeker. Het is vol en benauwd in de roef. Janna luistert niet naar de gesprekken van de andere reizigers. Haar gedachten zijn bij haar kleinzoon in Leeuwarden.

Ze is blij wanneer ze in Franeker op de kade staat. De herfst regeert: een onstuimige zuidwester jaagt regenwolken voort. Vol welbehagen snuift ze de vochtige lucht op. Een tikje zeelucht, een snufje Harlingen. Iets wat ze in Leeuwarden mist. Daar is het vooral de stank uit de grachten die je ruikt. Doelbewust kiest ze haar weg door het stadje. Bij de apotheek stapt ze binnen.

„Wel wel," zegt de apotheker, „als dat vrouw Gerbrandy niet is."

„Dat hebt u goed onthouden."

„U was een goede klant. Maar de laatste jaren heb ik u niet meer gezien. Zijn er geen zieken meer in Harlingen?"

Janna lacht. Vroeger hielp ze dikwijls de mensen in haar omgeving bij hun kleine kwalen. Ze bereidde zelf eenvoudige drankjes en zocht voor ernstiger ziektes de Franeker apotheker op, vroeg hem om advies en vertelde later vaak hoe het afgelopen was.

„U moest hier maar op de universiteit komen studeren," zei de apotheker wel eens. „U weet er minstend zoveel vanaf als de heren studenten."

„Foei, een vrouw op de universiteit," wees ze hem dan terecht, „de hele stad zou op zijn kop staan."

Ze waardeerden elkaar, de eenvoudige weduwe en de geleerde apotheker.

„Ik woon nu in Leeuwarden," zegt Janna. „Al weer een jaar of vijf."

„En mist u de zee niet?"

„Soms. Maar mijn zoon heeft goed werk. En ook een gezin. Daarvoor kom ik eigenlijk."

De apotheker luistert.

„Mijn kleinzoon heeft 's nachts benauwdheden. Ik herinner me dat van mijn eigen jongen. U hebt me toen kruiden gegeven die verlichting brachten."

„Jazeker, ik ga ze opzoeken. Hebben ze in Leeuwarden geen remedie tegen de kroep?"

„Nee."

„Achterlijke stad," mompelt de apotheker terwijl hij in zijn kast rondkijkt. Janna krijgt haar flesjes, met de gebruiksaanwijzing erbij. Ze betaalt de apotheker. Hartelijk nemen ze afscheid.

Na de avondmaaltijd wandelt ze bij Jan Anne en Dieuwertje binnen.

„Oate!" *) roept Sjoerd.

Hij vliegt op haar af en zodra ze zit klimt hij bij haar op schoot. Dieuwertje lacht: „Hij is die aanval van vannacht weer helemaal te boven."

*) Grootmoeder.

„Ja, ik zie het."

„Was u bezorgd?"

„Daar schiet je niks mee op," vindt Janna. „Ik heb hier wat kruiden die kunnen helpen als het weer gebeurt."

„Denkt u dat het terugkomt?" vraagt Dieuwertje verschrikt.

„Een goeie kans. Ik zal je uitleggen wat je kunt doen. In dit flesje zit valeriaan. Geef hem vóór hij gaat slapen een paar druppels. En zodra hij het weer benauwd krijgt doe je heet water in een kom, met tien druppels uit dit groene flesje. Deze olie is bereid uit sparretakken, ruik maar eens."

Allebei snuiven ze de geur op.

„Lekker, pittig," zegt Jan Anne.

„Je legt de doeken erin en daarna hang je ze bij zijn bed. Net als vannacht."

Even is Dieuwertje teleurgesteld door het vooruitzicht dat de benauwdheden terug kunnen komen. Maar dan lacht ze dankbaar naar haar schoonmoeder. Die zeurt niet maar geeft precies de hulp die nodig is.

Wiardus en zijn dochters zitten in de groene kamer. De luiken zijn gesloten, het vuur op de haardplaat verspreidt een behaaglijke warmte. Feikje heeft zojuist de koffie geserveerd.

„Vanmiddag was ik bij Dieuwertje," zegt Marije plotseling. „De kleine Sjoerd heeft kroep."

Wiardus verslikt zich in zijn koffie. Marije pakt snel een servet en dept zijn kleren schoon.

„Maar papa, maak ik u zo aan het schrikken?"

„Nee nee, de koffie was nog te heet."

Aagje bekijkt het met opgetrokken wenkbrauwen.

„Wat moest jij bij Dieuwertje?" vraagt ze.

Het klinkt argwanend. Jarenlang waren zij en Dieuwertje dikke vriendinnen. Ze zaten samen in de schoolbanken, waar ze lezen en schrijven leerden. Toen ze ouder werden gingen ze met de andere vriendinnen naar de Franse les. Dieuwertje kwam regelmatig bij de Roorda's thuis. Een enkele keer kwam Aagje bij Dieuwertje over de vloer.

Plotseling was het afgelopen met de vriendschap. Dieuwertjes vader overleed en er kwam bittere armoede in het gezin. Het winkeltje van moeder Jitske bracht niet veel op. Johannes moest uit Franeker weg; de student rechten werd jongste knecht in de bierbrouwerij. Dieuwertje moest thuis flink de handen uit de mouwen steken. Het gezin hoorde opeens bij de armsten uit de stad. Voor Aagje was dat voldoende reden om de vriendschap te beëindigen. Met mensen die zó laag gedaald waren op de maatschappelijke ladder kon ze geen omgang meer hebben. Haar moeder, die toen nog leefde, was het er helemaal mee eens. Mensen van stand gaan zo veel mogelijk om met hun gelijken.

Later kwam Jan Anne, die lange, donkere man. Hij was een gewaardeerd meubelmaker. Zodra hij meester in het ambacht was trouwden hij en Dieuwertje. Jan Anne heeft een goed inkomen en ze wonen in een aardig huisje. Aagje heeft geprobeerd om de vriendschap weer op te pakken. Maar zoals vroeger is het nooit meer geworden.

Met Marije ging het net andersom. Die kwam gaandeweg meer bij Dieuwertje thuis. Nu zit ze er minstens éénmaal in de week. Aagje voelt zich van haar plek geduwd.

„Wat moest jij bij Dieuwertje?"

Marije kijkt verbaasd.

„Wat ik daar deed? Ik heb het glas klaar waar ik deze weken mee bezig was. En toen ik bij de graveur vandaan kwam heb ik het meteen aan Dieuwertje laten zien."

Wiardus is uitgehoest.

„Je bent ermee klaar? Laat eens gauw kijken."

„Dat kan niet papa. Het staat bij de Gerbrandy's op de schouw."

„Heb je het weggegeven?" Zijn stem klinkt bijna teleurgesteld.

„Nee, maar Dieuwertje zei dat Jan Anne het graag zou willen zien. Dus mogen ze er een weekje naar kijken."

„Ik ben heel benieuwd," zegt Wiardus. „Maar ik begrijp dat ik nog even geduld moet hebben."

Aagje schenkt nog eens koffie in. Al dat gepraat over artistieke prestaties! Marije met haar glasgravures, Papa met zijn ontwerpen, Jan Anne met zijn houtsnijwerk. Dingen waar zíj niet over mee kan praten. Ze begrijpt die bevlogenheid niet. Al houdt ze wél van mooie dingen. Met liefde kijkt ze naar de zilveren koffiekan en naar de porseleinen kopjes.

„En hoe is het nu met Sjoerd?” vraagt Wiardus. „Is hij erg ziek?”

„Helemaal niet. Dieuwertje zegt dat hij overdag speelt en eet zoals anders. Maar soms krijgt hij een aanval. Altijd midden in de nacht.”

„Vervelend. Ik herinner me dat IJsbrand het ook wel had als klein kind. Vreselijk, die benauwdheden.”

IJsbrand, de oudste zoon. Er wordt niet vaak over hem gepraat. Jaren geleden heeft Wiardus hem op stel en sprong naar Indië gestuurd. Want de jongen dronk te veel, hij vocht 's nachts in de herbergen en hij had omgang met een vrouw van lichte zeden. Die bleek op een kwade dag zwanger te zijn. Ze beweerde dat IJsbrand de vader was. Wiardus herinnert zich de afschuwelijke affaire nog glashelder. Hij heeft de vrouw afgekocht met een redelijke toelage en vervolgens heeft hij zijn zoon de stad uitgestuurd. Naar Indië, het land waar wel vaker een losbandige zoon naar toe ging. Om na een paar jaar terug te komen als een volwassen man die serieus opgaat in werk en huwelijk. IJsbrand is nooit teruggekomen. Vijf jaar is hij al weg. Ze horen zelden iets van hem. Zijn naam wordt bijna nooit genoemd.

Wiardus ziet het bewolkte gezicht van Aagje. Denkt ze aan IJsbrand? Mist ze haar broer? Of vindt ze het vervelend dat Marije bij de Gerbrandy's over de vloer komt? Heeft ze er spijt van dat haar vriendschap met Dieuwertje op zo'n laag pitje staat? Zelf vindt Wiardus het jammer dat hij Dieuwertje vrijwel nooit meer ziet. Hij is erg op haar gesteld. Ze is vrolijk en spontaan. Goed gezelschap voor Aagje, die erg aanstellerig en uit de hoogte kan doen.

„Nodig je Dieuwertje ook uit op je verjaardagsfeest Agatha?”

Met grote ogen kijkt ze hem aan.

„Maar papa, dat kan toch niet.”

„Waarom niet?”

„Dieuwertje is zwanger. Dan vertoon je je niet op een bal.”

„O... eh nee, daar had ik niet aan gedacht. Nodig je haar apart een keer uit?”

„Dat zal ik doen.”

„Mag ik dan ook komen?" vraagt Marije.
„Ja natuurlijk."
„En ik?" vraagt Wiardus plagerig.
Aagje kijkt hem verwonderd aan.
„U papa? Ik dacht dat u niet van visites hield."
„Dat hangt ervan af wie er komt. Trouwens, nu we het over je verjaardag hebben, weet je al welk sieraad ik voor je moet maken?"
„Ik zou graag een armband hebben."
„En hoe moet die eruit zien? Met filigrain? Wil je er een paar mooie stenen in?"
Aagje krijgt een kleur van plezier.
„U verwent me, papa."
„Dat mag ook wel eens. Weet je wat, kom morgen in de werkplaats kijken. Er liggen in het kabinet genoeg sieraden om je op een idee te brengen."
„En neem een lapje stof van je nieuwe jurk mee," raadt Marije aan. „Dan kan er een bijpassende steen gezocht worden. Hebt u die lazuurstenen nog papa? Ik denk dat die prachtig bij Aagjes nieuwe japon kleuren."

Aagje kan 's avonds de slaap niet vatten. Er is zoveel om over na te denken. Nog een paar weken, dan viert ze haar feest. Ze zal in het middelpunt van de belangstelling staan. Haar jurk wordt ronduit prachtig. Morgen moet ze hem opnieuw passen, dan vraagt ze meteen om een lapje van de stof. En dan de armband. Filigrain en lazuursteen! Niemand zal zoiets moois dragen. Gelukkig komt Dieuwertje op een andere dag. Want eigenlijk past ze niet in het deftige gezelschap dat op haar feest komt. Dieuwertje is zo gewoontjes. Geen wonder dat Marije zo goed met haar kan opschieten. Laat Marije er maar bij zijn als Dieuwertje op visite komt. Kan ze mooi met Sjoerd spelen. En papa? Die wil ook al van de partij zijn. Aagje begrijpt er niks van. Zo bijzonder is Dieuwertje toch niet? Wat zien die twee toch in haar?
Aagje is klaarwakker. Ze kan het eigenlijk niet verdragen dat Marije zo vertrouwd met Dieuwertje is geworden. Het geeft haar het gevoel dat ze van haar plaats is geduwd. En nu doet papa ook

al mee, zodat zij er niet meer echt bij hoort. Kon ze die visite maar ongedaan maken. Maar dat zou papa nooit goedvinden.

Buiten hoort ze de ratelwacht. Eén van de nachtwakers heeft een dief betrapt. Met zijn ratel waarschuwt hij de andere nachtwachten. Aagje hoort snelle voetstappen, mannenstemmen die naar elkaar schreeuwen. Het moet vlakbij zijn. De plotselinge opschudding midden in de nacht verontrust haar. Gespannen blijft ze luisteren tot het rumoer wegebt en de stad weer lijkt te slapen. Maar ook die stilte benauwt haar. Sluipt daar nog iemand door de duistere nacht? Is de dief wel gevangen? Pas tegen de morgen slaapt ze in.

Ze droomt. Een beklemmende droom, waarin ze door een groot huis dwaalt. Lange gangen en hoge, fraai ingerichte kamers. Het is haar eigen huis maar toch voelt ze zich er een vreemde. In sommige kamers zijn gasten. Goed geklede mensen uit het hoogste milieu. Als ze ergens binnenkomt merkt niemand haar op, niemand groet haar. De gasten blijven met elkaar staan converseren. Ze slenteren wat door de kamers en bekijken de schilderijen, de kandelaars, de serviezen in de glazen kast. Opeens ziet ze hoe een van de gasten een zilveren suikertang van een theetafel pakt en hem in zijn mouw verbergt. Aagje wil hem aanspreken maar ze krijgt geen geluid door haar keel. De man loopt rustig verder.

Ook de andere gasten eigenen zich van alles toe. Een jonge vrouw neemt een zilveren miniatuurwiegje van de schouw en stopt dat in haar beugeltas. Twee jonge mannen halen een hangklok van de muur. De één houdt de stoel vast waar de ander op is geklommen. Een man met een goudbrokaten vest pakt alle zilveren kandelaars die hij ziet en klemt ze met zijn linkerarm tegen zijn mooie vest. Aagje loopt verbijsterd van de ene kamer naar de andere. In sommige heerst een spookachtige stilte, in andere staan de gasten zich te vergapen aan al het moois. Steeds komt ze mensen tegen die iets dragen. Een rooktafeltje, een zilveren servies, een schilderij. Ze zou willen gillen: 'Laat staan die spullen! Ze zijn van mij.' Maar haar keel zit dicht alsof er watten in gepropt zijn. Ze wil weg uit deze lugubere woning en zoekt radeloos naar de uitgang. Ze vindt hem niet, ze is een gevangene in haar eigen huis. En niemand ziet haar, geen mens trekt zich iets van haar aan.

Er wordt op de deur geklopt.
„Juffrouw Agatha."
Met een schok wordt ze wakker. Wie is daar?
Nog eens wordt er geklopt.
„Juffrouw Agatha, hier is uw thee."
„Ja, kom binnen."
Het kraakheldere schort van Feikje is een geruststelling na alle verwarrende beelden van de droom. Feikje zet het theeblad op een tafeltje naast het bed.
„De kleermaker is beneden met uw nieuwe japon."
„Nu al?"
„De torenklok heeft zojuist tien geslagen," zegt Feikje. „Zal ik u helpen met aankleden?"
„Zometeen, ik wil eerst mijn ontbijt."
Feikje wacht geduldig terwijl Aagje van haar thee nipt. Dan maken ze uitvoerig toilet en tenslotte daalt Aagje statig de trappen af. Dit is een belangrijk moment. Ze gaat haar japon passen. De akelige droom is naar de achtergrond verdwenen. Die sloeg nergens op. Gelukkig is ze terug in de werkelijkheid. Niemand zal haar haar bezittingen afnemen. Integendeel, ze krijgt alleen maar mooie dingen. Eerst de japon. En straks nog een armband.
De kleermaker staat te wachten in de hal. Hij doet zijn doos open en haalt de japon tevoorschijn. Aagjes ogen beginnen te glanzen. Feikje neemt de japon aan en samen verdwijnen de dames in de groene kamer. Na tien minuten mag de kleermaker ook binnenkomen. Hij bekijkt de japon aan alle kanten en knikt goedkeurend.
„Hij valt goed in ieder opzicht, juffrouw Roorda. Misschien moet ik de zoom nog iets inkorten. U zou er bij het dansen op kunnen trappen."
Aagje draait zich om en om voor de spiegel.
„Maar niet te veel."
„Dat begrijp ik,' zegt de kleermaker. Hij weet dat vrouwenenkels nooit gezien mogen worden, dat zou hoogst onfatsoenlijk zijn. „Die kleur past werkelijk volmaakt bij uw ogen."
„O ja, mijn papa wil een bijpassend sieraad maken. Kan ik een lapje van de stof krijgen?"

„Natuurlijk, ik zal het dadelijk laten bezorgen."

Haastig loopt de kleermaker naar huis, zijn doos onder de arm. Er ligt nog een stapel werk op hem te wachten.

„De tiid hâldt gjin skoft," *) moppert hij. „Bijna de hele morgen voorbij! Twee kostbare uren heeft juffrouw Roorda mij afgestolen. Mensen zoals zij beseffen niet wat dat betekent voor een hardwerkende handwerksman. Maar ik zal de rekening wat opschroeven. Meneer Roorda doet nooit moeilijk over een paar daalders.

Wicher Aykema staat achter zijn werkbank, de graveerstift in zijn hand. Naast hem staat een kistje met bestek. Messen, vorken en lepels, die alle voorzien moeten worden van een monogram. Hij heeft met zorg het ontwerp getekend. Een D en een M, sierlijk door elkaar gevlochten. Douwe Menkema was er heel tevreden over. Nu moet het monogram nog op het bestek gegraveerd worden. Een secuur werkje, want ze moeten allemaal precies gelijk zijn. Geen halve millimeter mogen ze afwijken.

Wicher is een ambitieus man, die zichzelf nog niet het kleinste foutje toestaat. Het werk dat hij aflevert staat op hetzelfde niveau als dat van meneer Roorda. Ze weten het allebei. Niet voor niets is hij al meer dan vijftien jaar in dienst van de beste zilversmid van de stad. De andere knecht, Oege, zal het vak nooit helemaal onder de knie krijgen. Meneer Roorda geeft hem meestal het eenvoudiger werk te doen, dat er niet zo op aankomt. Folkert, de leerling, is pas achttien. Hij doet het heel aardig en is altijd bereid iets te leren.

Wicher concentreert zich op zijn letters. De deur van de werkplaats gaat open. Zeker een klant, dat gebeurt regelmatig. Hij schenkt er geen aandacht aan. Klanten worden altijd door meneer Roorda te woord gestaan.

„Agatha!" zegt meneer Roorda, „fijn dat je komt."

Wicher maakt een mooie krul aan zijn M. Dan kijkt hij op. De adem stokt hem in de keel. Bijna laat hij zijn graveerstift vallen. Wat een juweel van een vrouw! Die fiere houding, dat ranke

*) De tijd staat niet stil.

figuurtje. Glimlachend loopt ze naar haar vader toe, haar ogen stralen verwachtingsvol. Samen lopen ze naar het kabinet achter de werkplaats, waar in een grote kast alle voorwerpen geëtaleerd liggen die gereed zijn voor de verkoop. De deur naar het kabinet blijft op een kier staan. Wicher laat zijn graveerstift liggen. Als hij nu verder zou gaan met zijn monogrammen dan zou hij beslist fouten maken. Hij kan net in het kabinet naar binnen kijken en ziet het profiel van Agatha. Wat een knap gezichtje. Dat ronde kinnetje, die mooie halslijn. Wicher heeft oog voor schoonheid. Even kijkt hij naar Oege en Folkert. Die staan bij de smeltoven en hebben alleen aandacht voor hun werk.

Wicher pakt een zacht kwastje en veegt het stof van zijn werkbank op een hoopje. Steeds laat hij zijn hand rusten en dan gaan zijn ogen weer naar de bevallige jongedame. Hij heeft de dochter van zijn werkgever vaak uit de verte gezien. In de kerk, als ze naast haar vader zit. Of wanneer ze met haar vriendinnen langs de gracht wandelt. Maar nu ziet hij haar pas goed, ze is zo dichtbij dat hij haar bijna zou kunnen aanraken. En wat zou hij dat graag doen! Even haar hand vasthouden, er een kus op drukken.

De werkbank is al lang schoon. Wicher haalt de kresmand, waar al het stof en vuil in verzameld wordt. Later wordt dat verbrand in een speciale oven. De kleine restjes zilver kunnen dan weer uit de as gezocht worden. Behoedzaam veegt hij het stof in de mand. Dan staat hij doelloos achter zijn werkbank. Hij pakt zijn graveerstift en legt hem weer neer. Hij ordent de gereedschappen op het rek. Hij zoekt een zachte doek en poetst het bestek op. Intussen dwalen zijn blikken steeds naar het tweetal bij de zilverkast. Vader en dochter zijn in een geanimeerd gesprek gewikkeld. Zou juffrouw Agatha weer een miniatuurtje willen? Haar vader heeft wel eens verteld dat ze die verzamelt.

Eindelijk komt ze terug. Wicher haast zich om de buitendeur van de werkplaats voor haar open te doen.

„Gaat uw gang, juffrouw Agatha."

„Dank je wel Aykema."

Wiardus heeft de bewonderende blikken van zijn meesterknecht wel gezien. Hij lacht gevleid. Zijn dochter mag gezien worden.

Het is zondagmiddag. De zon staat al achter de hoge grachtenhuizen. Het is voor eind oktober erg zacht weer. De lindebomen hebben nog niet al hun gouden blad laten vallen. Dieuwertje is op weg naar huis, met Sjoerd aan haar hand. Ze heeft geen haast. Kennissen groeten haar en houden haar staande voor een praatje. Sjoerd doet daar niet moeilijk over. In zijn vrije knuistje klemt hij een stukje speelgoed dat hij zojuist gekregen heeft. Een zilveren staafje met aan weerszijden een belletje. Als hij ermee schudt dan tovert hij tinkelende geluidjes tevoorschijn, die hem fascineren. Zelfs voor de paarden en koetsen die langskomen heeft hij vandaag geen aandacht.

Dieuwertje loopt de smalle straat in en duwt de poort van de binnenplaats open. In de gezellige woonkeuken zitten Jan Anne en Johannes achter een kom thee.

„Ha, jullie zijn al weer thuis. Hebben jullie fijn gewandeld?"

„Heerlijk," zegt Jan Anne. „En we hadden zo'n dorst dat we maar vast een grote ketel thee gezet hebben. Wil je ook?"

„Graag," zegt Dieuwertje, terwijl ze Sjoerd uit zijn jasje helpt.

„Heb je bij de Roorda's niks gehad?" vraagt Johannes.

„O ja, natuurlijk wel. Maar daar wordt de thee in zulke kleine kopjes gepresenteerd." Ze wijst met duim en wijsvinger. „Er was trouwens heerlijk gebak bij."

„Ook in zulke kleine stukjes?" vraagt Johannes.

„Ja. Ik denk dat jij liever iets groters hebt. Zal ik de koektrommel eens openmaken? Er zijn nog honingflapkes."

„En... hoe was de visite?" vraagt Johannes. Hij weet dat Dieuwertje er een beetje tegenop zag. „Was Agatha wel aardig tegen je?"

„Ja hoor."

„Niet uit de hoogte?"

„Helemaal niet. Ze heeft verteld over het feest dat ze gaat geven. Ze krijgt een nieuwe jurk van blauwe zijde, de kleermaker heeft hem bijna af. Meneer Roorda maakt een armband die er bij past."

Ze ziet het ironische lachje om Johannes' mond niet en vertelt opgewekt verder:

„Er komen minstens dertig gasten. De muziekmeester zal dansmuziek spelen. En meneer Roorda heeft de huisknecht van Menkema te leen gevraagd, die kan helpen met bedienen."

Jan Anne is niet geïnteresseerd in deftige feesten.

„Wat voor moois houdt mijn zoon daar zo angstvallig in zijn hand geklemd?" vraagt hij.

„O, een rinkelbel," zegt Dieuwertje. „Die kreeg hij van meneer Roorda."

„Dus die was er ook bij?"

„Ja, en Marije ook. De hele familie was present. Meneer Roorda vroeg of Sjoerd nog last had van die kroepaanvallen."

„Attent van hem," vindt Jan Anne.

„En Aagje speelde iets op het klavecimbel. Sjoerd vond het prachtig. Hij zat bij mij op schoot heen en weer te wiegen. Toen Aagje klaar was wilde hij met alle geweld ook op het klavecimbel spelen. Ik zei dat hij daar nog te klein voor was. Maar meneer Roorda nam hem op de arm en liet hem met één vinger op het klavier slaan. Sjoerd vond het prachtig maar toen begon hij er met allebei zijn vuisten op te timmeren. Dat was het eind van de pret."

Jan Anne knikt.

„Natuurlijk, zo'n kostbaar instrument."

„Ik kreeg Sjoerd weer op schoot. Die stribbelde danig tegen, zodat ik me wel geneerde. Maar meneer Roorda had er schik in. Hij ging naar de pronkkast, haalde er de rinkelbel uit en gaf hem aan Sjoerd. 'Er zit muziek in de jongen,' zei hij. Sjoerd was meteen zoet."

„Nou nou, wat een geweldig cadeau," zegt Jan Anne. „Laat eens kijken Sjoerd. Nee, papa geeft het je zo weer terug, wees maar niet bang. Moet je zien wat een mooi bewerkt handvat."

„Inderdaad, een heel royaal gebaar," vindt Johannes. „Meneer Roorda is bepaald niet krenterig."

Dieuwertje schenkt de kommen nog eens vol.

„En weet je wat Sjoerd tegen meneer Roorda zei? Pake! *) Dat heeft hij van de buren, daar hebben ze hun oude vader in huis."

*) Grootvader.

„Pake, muziek!" roept Sjoerd.

„Nee jongen, jij hebt alleen maar oma's," kalmeert Dieuwertje haar enthousiaste zoon. „Oma Jitske en Oate."

De beide mannen zwijgen discreet en kijken elkaar niet aan. Ze denken aan het geheim dat ze delen. De timmerman Gerbrandy was niet de echte vader van Jan Anne. Wie dat dan wel was? En... of hij nog leeft? Al vaak heeft Jan Anne het aan zijn moeder willen vragen. Maar hij aarzelt er steeds over, hij is bang dat hij haar zal kwetsen.

Dieuwertje babbelt vrolijk verder.

„Ik heb verteld dat Sjoerd weg was, Johannes, en dat we zo lang naar hem gezocht hebben. Aagje vond dat we een looprek voor hem moesten maken, maar daar is hij al veel te groot voor."

„Natuurlijk," gromt Jan Anne, „hij zou meteen uitbreken."

Die nacht heeft Sjoerd opnieuw een aanval van kroep. Dieuwertje doet alles wat moeder Janna haar geleerd heeft. Lange tijd zit ze naast het bedje. Ook als Sjoerd rustig lijkt te slapen blijft ze nog zitten. De benauwdheid kan zomaar terugkomen, dat weet ze inmiddels uit ervaring. In de andere kamer klinkt zacht geronk. Dieuwertje glimlacht. Laat Jan Anne maar slapen, dan kan hij morgen uitgerust weer aan het werk. Zelf doet ze 's middags wel een dutje. De buurvrouw past graag op Sjoerd. Want moe wordt ze wel van al die gebroken nachten. Zelfs als het helemaal stil is ligt ze nogal eens wakker, luisterend of ze iets bijzonders hoort.

Haar gedachten gaan terug naar de gezellige visite bij de Roorda's. Sjoerd heeft alle harten gewonnen. Zoals Marije hem op schoot nam en liedjes met hem zong. En meneer Roorda was helemaal gecharmeerd van het kind. Meneer Roorda... wat een bijzondere man is dat toch. Dieuwertje wordt er warm van als ze weer vóór zich ziet hoe hij met Sjoerd op z'n knieën achter het klavecimbel zat. Ze hadden allebei het grootste plezier, al doet meneer Roorda nooit uitbundig. En dan die mooie rinkelbel.

Dieuwertje soest weg. Tot het kind dat ze onder haar hart draagt zich opeens roert. Ze legt een hand op haar buik.

„Ja, jij bent er ook, jij hoort er ook bij."

Ze voelt zich gezegend met haar gezin, met daaromheen haar

familie en goede vrienden. Even knijpt de angst haar keel dicht. Als ze haar kinderen maar mag behouden. Sjoerd met zijn benauwdheden, het nieuwe kindje…

Ze denkt aan Prins Willem en Prinses Anna. Daar is de teleurstelling enorm, na opnieuw een miskraam. Zouden ze ooit gezonde kinderen krijgen? Dieuwertje hoopt het van harte. Tegelijk beseft ze iets van de broosheid van het bestaan. In de stille nacht vouwt ze haar handen.

4

Voor Aagje is de grote dag aangebroken. Ze staat in de salon en ontvangt haar gasten. Een van haar oudere vriendinnen komt binnen.

„Janneke, welkom op mijn feest!"

„Mijn hartelijke gelukwensen Agatha. En hier is een kleinigheid voor jou."

Aagje krijgt een loddereinflesje met een zilveren deksel.

„Heel mooi Janneke, daar ben ik blij mee."

Janneke loopt verder de salon in. Aagje kijkt haar na. Janneke Walta, hoe oud zou ze nu zijn? Tegen de dertig en hard op weg om een oude vrijster te worden. Geen wonder, zo'n saai mens. En bepaald niet knap! Dat lange gezicht met die veel te grote mond. Een hoekig lijf, waar zelfs de dure japon die ze draagt weinig elegantie aan verleent. Aagje heeft bij geruchte vernomen dat papa haar vroeger een geschikte vrouw voor IJsbrand vond. Wat een gebrek aan smaak. Geen wonder dat IJsbrand er niets van moest hebben.

Eelco en Joukje stappen de salon in, vrolijk en op hun gemak. Ze horen bij Aagjes intiemste vrienden.

„Wat zie je er schitterend uit, Aagje. Proficiat met je verjaardag."

„Dank je."

Aagje reikt hen de hand en zorgt ervoor dat de nieuwe armband duidelijk zichtbaar is.

„Is dat 't cadeau dat je vader voor je gemaakt heeft? Prachtig," zegt Joukje.

Eelco houdt Aagjes hand iets langer vast om de armband goed te kunnen bestuderen.

„Een knap stukje werk, je vader is echt een meester in het vak."

Eelco kan het weten, hij is ook zilversmid. Aagje bloost van genoegen.

Ze ziet nieuwe gasten binnenkomen en neemt complimenten en gelukwensen in ontvangst. De cadeautjes komen bij elkaar op een tafeltje te staan, zodat iedereen ze kan bewonderen. Een herderinnetje van Duits porselein, een flesje reukwater, een broche.

Joukje bladert in een boekje met gedichten.
„Heb je dit van Marije gekregen?”
„Nee, Marije heeft een glas voor me gegraveerd.”
„Laat eens zien?” vraagt Eelco meteen.
„Dat kan nu niet, het staat in de groene kamer.”
Wiardus vangt het gesprek op. Hij fronst zijn wenkbrauwen en loopt de salon uit. Even later is hij terug, het glas in zijn hand.
„Kijk,” wijst hij Eelco, „dit is Marijes geschenk.”
Eelco bestudeert het graveerwerk met aandacht.
„Mooi,” prijst hij, „dat schip staat er goed op. Hebt u het ontwerp getekend?”
„Dat heeft Marije zelf gedaan,” zegt Wiardus trots.
„Zo, ze treedt in de voetsporen van haar vader. Ik moet haar toch eens vragen hoe dat glasgraveren in zijn werk gaat.”
Hij zoekt haar op en neemt haar mee naar het cadeautafeltje.
„Hoe krijg je je ontwerp op dat glas, Marije? Wíj kunnen met een stift op het zilver tekenen vóór we gaan graveren. Maar hierbij zal dat niet gaan.”
„Nee, wij plakken de tekening achter het glas. En dan proppen we er een zwart doekje in. Eigenlijk heel eenvoudig.”
„En hoe verder?”
„Ik begin met een stift waarin een klein diamantje zit. Daarmee kras ik voorzichtig de omtrekken. Voor het opvullen van de vlakken gebruik ik een andere stift...”
Aagje ziet het tweetal in gesprek. Het wrevelige gevoel bekruipt haar weer. Twee mensen die alleen maar aandacht hebben voor een glas. Terwijl het háár feest is. Eelco is er voor haar, niet voor Marije.
Gelukkig komen op dat moment Titia en Feikje binnen. Ze presenteren thee met confituren, *) en koffie met gebak.
De gasten maken hun keus en staan in groepjes bij elkaar terwijl ze de laatste nieuwtjes uitwisselen:
„Van Haersma, je weet wel, de wijnkoopman, heeft een boerderij gekocht even buiten Leeuwarden. Daar laat hij een herenkamer aanbouwen, waar hij 's zomers kan vertoeven. De boer kan als

*) gekonfijte vruchten

pachter aanblijven, de boerin en haar meid kunnen zorgen dat het van Haersma en zijn vrouw aan niets ontbreekt."

„Wat moeten die mensen daar in de rimboe?"

„Het is er een stuk frisser dan in de stad. En ook gezonder."

„Nou, het lijkt me een saaie bedoening. Je kunt niet eens uitgaan als je wilt, naar de schouwburg of naar een concert."

„Dan ga je toch voor een paar dagen terug naar Leeuwarden."

„Praat me niet van de schouwburg," zegt een jongeman die erbij is komen staan. „Verleden week was ik naar die uitvoering van Molières laatste toneelstuk. Een mooie uitvoering, dat wel. Maar in de loge naast de onze zaten een paar mensen zo luidop te praten en grappen te verkopen dat we de helft van het stuk niet konden verstaan. Heel onbetamelijk."

„Dat schijnt tegenwoordig in de mode te zijn. Ik zou een brief aan de directie van de schouwburg schrijven."

„Heb ik gedaan."

Wiardus wandelt rond tussen al die jonge mensen en luistert naar de gesprekken. Plotseling spitst hij zijn oren.

„Die jongen van Douma doet het heel goed. Ik hoorde dat hij een aantal netelige kwesties uitstekend heeft opgelost. Werkelijk, een bekwame jurist."

Dat gaat over Johannes! De jongeman die dit vertelt is de zoon van een raadsheer, hij is waarschijnlijk goed op de hoogte.

„Op den duur zou Douma wellicht geschikt zijn om rechter te worden."

Aha, denkt Wiardus, dus zo wordt er in de stad over Johannes gedacht. Ik ben werkelijk niet de enige die hem waardeert.

De wijn gaat rond. Wiardus laat zich een glas Bergerac inschenken en luistert naar de toasts die uitgebracht worden op zijn dochter.

„Op onze lieve gastvrouw. Dat je een lang en gelukkig leven mag hebben, Agatha."

„Op de vriendschap, waar we nog dikwijls van hopen te genieten."

De wijn is voortreffelijk. De heren laten hun glazen nog eens inschenken. De conversatie wordt losser.

„Ik las laatst in een geschrift dat je, wanneer je eenmaal

getrouwd bent, er best nog een paar vriendinnen bij kunt hebben," zegt Wiebe Camminga.
Eelco maakt bezwaar.
„Ontrouw is een kwalijke zaak. Je zou dat van je vrouw nooit accepteren. Dan moet je zelf het goede voorbeeld geven."
Er volgt luid protest.
„Stel jij mannen en vrouwen gelijk, Roukema? Hoe kom je erbij?"
„In dit opzicht wel," houdt Eelco vol.
„En jij dan Hessel? Ben je het met Eelco eens?" vraagt Jelger.
Het wordt ineens heel stil. Bijna iedereen weet dat Hessel zijn vrouw dikwijls bedriegt.
„Tja, hoe gaat dat met de liefde," zegt Hessel. „Misschien net als met een tafel vol heerlijkheden, zoals hier op dit feest. Die confitures zijn voortreffelijk, zoals ik tot mijn genoegen heb gemerkt. Maar zou ik de rest van het feest alleen maar confitures eten? De hele avond lang, en morgen en overmorgen ook? Ze zouden me danig gaan tegenstaan. Dus vrienden, we moeten wel afwisseling hebben, anders is de aardigheid er gauw af."
„Durf jij de edele dames te vergelijken met confitures?" vraagt Jelger. „Man, je bent niet wijs. De liefde is geen schranspartij."
„Voor Hessel misschien wel," zegt iemand.
Luid gelach klinkt op.
Hessel verdedigt zich:
„Nee, maar een goede maaltijd verheugt het hart. En de liefde doet dat ook."
De muziekmeester vraagt het woord, de discussie verstomt.
„Dames en heren, straks zal ik dansmuziek voor u spelen. Maar eerst zal juffrouw Roorda iets voor u ten gehore brengen. Zij speelt een suite van monsieur Couperin, de Franse hofcomponist. Graag uw aandacht."
Het wordt stil in de salon. Aagje speelt niet onverdienstelijk. Ze krijgt een lang applaus en lacht haar publiek dankbaar toe.
„En nu wordt het bal geopend met een menuet," kondigt de muziekmeester aan.
Wiardus nodigt Aagje ten dans. Hij merkt hoe ze opgaat in de muziek, hoe ze feilloos alle passen en buiginkjes maakt. De

blauwzijden japon glanst in het kaarslicht, haar ogen stralen. Mijn knappe dochter, denkt Wiardus. Misschien is dit wel de laatste keer dat ik het bal met haar open. Wellicht is er bij het volgende feest een jonge echtgenoot in mijn plaats. Ik hoop het van harte.

Het menuet is afgelopen. Wiardus maakt een kleine buiging voor haar en gaat terzijde op een stoeltje zitten. De eerste tonen van de gavotte klinken. Marije strijkt naast hem neer.

„Gaat u straks met mij dansen, papa?"

„Ja, maar eerst wil ik een poosje zitten."

„Bent u moe?"

Dat is hij. Maar hij wil het niet toegeven.

„Ik zit graag te kijken."

Hessel komt op Marije af.

„Dans je de gavotte met mij?"

„Nee, dank je Hessel."

Haar stem klinkt afgemeten.

„Ik dacht dat je zo van dansen hield."

„Doe ik ook. Maar ik dans niet met jou. Eerlijk gezegd durf ik dat niet."

„Waarom niet?"

„Ik ben veel te bang dat je me aanziet voor een stuk confiture en in me bijt."

Wiardus glimlacht. Dus Marije heeft die platvloerse opmerkingen van Hessel ook gehoord.

Hessel protesteert:

„Zo heb ik dat niet bedoeld."

„Ik weet heel goed wat je bedoelde, Hessel," antwoordt Marije koel.

Wiardus is blij met zijn weerbare dochter. Zou Aagje ook zo'n antwoord gegeven hebben? Vast niet. Hij zoekt haar tussen de gasten. Ze danst met Eelco. Een mooi stel, ze dansen de gavotte perfect. Wiardus is trots op zijn dochter. Vandaag is ze op haar best. Vriendelijk en charmant, erop toeziend dat het de gasten aan niets ontbreekt. Alle complimenten beantwoordt ze met een stralende glimlach.

Hij weet echter dat ze ook een heel andere, onaangename kant heeft. Zoals ze het personeel kan afblaffen! Ook tegen Marije is ze nooit erg vriendelijk. Vaak wijst ze haar jongere zuster terecht met een minachtende opmerking. Misschien heeft ze wel gelijk, Marije kan erg slordig zijn en heeft lak aan manieren. Maar is het nodig om daar zo stekelig over te doen? Marije trekt zich niets aan van Aagjes commentaar, ze gaat er zelfs tegenin door opzettelijk haar manieren te vergeten. Nee, het gaat niet zo harmonieus toe tussen de beide zussen. En waarom heeft Aagje dat prachtige gegraveerde glas, dat ze vanmorgen van Marije kreeg, niet bij de andere cadeautjes in de salon gezet? Kan ze het niet hebben dat Marije zulke mooie dingen maakt en daar waardering voor oogst? Wiardus zucht. Aagje is jaloers, hij weet het. Zolang ze zelf maar bejubeld en geprezen wordt is ze heel beminnelijk. Maar zodra ze zich tekortgedaan voelt kan ze omslaan naar het andere uiterste. Fel en hard is ze dan in haar oordeel, vlijmscherp kan ze iemand afsnauwen. Heeft ze die donkere kant van haar moeder geërfd? Gesina was lief en charmant, tenminste... zolang ze haar zin kreeg. Maar o wee, zodra iets haar niet beviel! Dan kon ze furieus worden. Wiardus herinnert zich de woedeaanvallen, die haar bijna tot waanzin brachten. Als het met Aagje maar niet diezelfde kant uitgaat.

„Mag ik u nog een glas wijn inschenken, meneer Roorda?"

„Graag."

De huisknecht van Menkema is onberispelijk, hij is helemaal op zijn plaats tussen deze chic geklede mensen met hun keurige manieren. En Bouke? Ach, die helpt de vrouwlui in de keuken en sjouwt alle zware spullen naar boven. Dat ligt hem beter, denkt Wiardus toegeeflijk.

„Op uw gezondheid, papa. Waar bent u met uw gedachten?"

„Bij vroeger. Dat zou niet moeten op zo'n mooi feest. Ook op jouw gezondheid, Marije. Straks wil ik graag een dansje met je wagen."

Ze wachten tot de sarabande wordt gespeeld, een langzame, rustige dans. Wiardus is blij dat hij daarna weer kan gaan zitten. Is hij te oud om nog te dansen?

Aagje geniet met volle teugen. De jongemannen willen allemaal met haar dansen, ze krijgt geen kans om even te gaan zitten en iets te drinken. Dan opeens staat hij vóór haar, Van Hasselaer, de nieuwkomer. Een slanke, donkere man, die alleen bij het binnenkomen aan haar is voorgesteld. Hij is een familielid van Minke en woont nog maar een paar weken in Leeuwarden. Aan het Hof heeft hij volgens Minke een belangrijke functie gekregen, waardoor hij bijna dagelijks in het gezelschap van Prins Willem is. Minke heeft gevraagd of Hessel en zij hem mee mochten nemen, omdat hij graag geïntroduceerd wilde worden in hun kring. Aagje heeft direct toegestemd. Iemand die aan het Hof verkeert, heel belangwekkend.

„Mag ik deze dans van u, juffrouw Roorda?"

Met een charmante glimlach reikt ze hem de hand. Hij danst erg houterig, vindt Aagje, maar zijn conversatie is vlot. Hij vertelt dat hij uit 's Gravenhage komt en hier in de stad nog maar weinig mensen kent.

„Een hele verandering voor u," zegt Aagje. „Is 's Gravenhage een mooie stad?"

„O zeker. Prachtige huizen zijn er, ruime pleinen en parken met vijvers."

„Dan zult u Leeuwarden wel klein en benauwd vinden."

„Het is een heel intiem en bekoorlijk stadje."

Zo heeft Aagje nog nooit over Leeuwarden horen spreken. Iedereen zegt stad. De grootste en belangrijkste van heel Friesland. Maar deze man van de wereld heeft zoveel meer gezien.

„U bent misschien ook wel in Amsterdam geweest?"

„Ja, daar kom ik regelmatig. En in Antwerpen en Parijs. Maar nergens vind ik het zo mooi als in 's Gravenhage. Buiten de stad zijn brede duinen, daar kun je paardrijden en op jacht gaan. Een enkele keer gaan we naar zee. Hebt u de zee wel eens gezien?"

„Nee, helaas." Aagje voelt zich een provinciaaltje.

„Al het stormt is dat een prachtig gezicht. Hoge golven die stukslaan op het strand. Het schuim vliegt je om de oren. Kunt u zich indenken hoe mooi dat is?"

„O zeker," knikt ze, ook al kan ze zich er geen enkele voorstelling van maken. Schuim dat om je oren vliegt... nee, dan kijkt ze liever rond in deze salon met zijn kroonluchters, zijn spiegels en dure meubelen. Maar ze wil haar gast niet teleurstellen en luistert geïnteresseerd naar zijn verhalen uit die andere, haar onbekende wereld. De dans is ten einde, veel te gauw naar haar zin. Hij brengt haar naar een stoel en zorgt dat ze iets te drinken krijgt.

„U zult wel dorst hebben. Heb ik u niet verveeld met mijn gepraat?"

„O nee, ik vond het heel interessant."

Ze geniet van haar koffie en kijkt hoe haar gasten zich amuseren. Daar gaat hij, jonkheer Jacob van Hasselaer, nu danst hij met Minke. Wat een boeiende man. En zo hoffelijk. Zou hij in diplomatieke dienst zijn? Of is hij een officier in het leger van de Prins? Iemand die van paardrijden houdt, dus dat zou goed kunnen. Ze kijkt naar zijn donkere, sobere kleren. De andere jongemannen zijn gekleed in kleurige vesten en lichte kuitbroeken, ze dragen zilveren gespen op hun schoenen. Van Hasselaer draagt een grijs vest op een donkerblauwe kuitbroek. Het enige sieraad aan zijn kleding is de gouden dasspeld waarin een edelsteen is verwerkt. Hij is wat ouder dan de anderen, ze schat hem bijna dertig.

Laat in de avond vertrekken de meeste gasten. Een paar mensen, de meest intieme vrienden, blijven nog voor het souper. Aagje is blij dat ze Hessel en Minke hiervoor heeft uitgenodigd. Nu is van Hasselaer vanzelf ook van de partij. In de eetkamer staat de gedekte tafel te wachten. Stralend wit damast, porseleinen borden, zilveren bestek en zilveren kandelaars. Het eten is voortreffelijk. Patrijs en gestoofde ossenrib met veel groentes. De pasteibakker heeft alles aan het begin van de avond bezorgd. Een volmaakte afsluiting van deze feestelijke dag. Het enige wat stoort is dat Feikje onhandig is met de sauskom en een lelijke vlek op het tafelkleed maakt. Aagje trekt haar wenkbrauwen op. Zoiets is ze van Feikje niet gewend. Maar ze wil er niets van zeggen, daarvoor is de sfeer aan tafel veel te goed.

Recht tegenover haar zit van Hasselaer. Ze ziet dat hij goede tafelmanieren heeft en heel attent is voor Minke, die naast hem zit. Eelco praat met Marije. Het gaat warempel weer over graveren. Gelukkig duurt dat gesprekje niet lang, want Hessel zegt tegen van Hasselaer:

„Vertel eens Jacob, wat je in Engeland hebt meegemaakt."

Zijn ogen beginnen te twinkelen.

„Dat was een gebeurtenis waar ik met veel plezier aan terugdenk. We gingen zodra we in Londen waren met een paar officieren naar een herberg en bestelden een eenvoudige maaltijd. Die werd ons gebracht en het smaakte redelijk goed. Maar toen we om de rekening vroegen vielen we bijna van onze stoel van verbazing. We moesten zeker tien maal te veel betalen. De herbergier had alle kosten keurig gespecifieerd. Een bedrag voor het gebruik van de gelagkamer, een bedrag voor het gebruik van het tafellaken, voor elk servet, voor de messen en vorken, zelfs voor het spit waaraan ons boutje gebraden was. En dan het eten zelf nog. Een enorme lijst, het kostte ons bij elkaar heel wat ponden sterling. We wilden er geen herrie over maken en betaalden de rekening met een effen gezicht. Maar diezelfde avond lieten we de lijst aan onze Engelse vrienden zien. Die lieten 't er niet bij zitten. De volgende dag werd de herbergier gedwongen om ons alles terug te betalen wat hij te veel had gevraagd. Bovendien kreeg hij een fikse boete en moest zijn herberg een hele week dicht."

„Zijn dat nou typisch Engelse manieren?" vraagt Eelco.

„Welnee, in Holland doen sommige herbergiers precies hetzelfde met Engelse gasten."

Wiardus lacht geamuseerd: „Geen aanbeveling voor de wederzijdse gastvrijheid."

Feikje en Titia brengen het dessert binnen. Appels, amandelen en bonbons. Als iedereen voldaan is pakt Wiardus de bijbel van de schouw, slaat hem open en leest het stuk dat hij voor vandaag heeft gekozen. Daarmee wil hij zijn waardering uiten voor zijn oudste dochter, die al zoveel jaar zijn huishouden bestuurt:

'Wie zal een deugdelijke huisvrouw vinden? Want haar waardij is verre boven de robijnen...

Zij staat op als het nog nacht is, en geeft haar huis spijze, en haar dienstmaagden het bescheiden deel...'

Met aan het slot een kleine vermaning:

'De bevalligheid is bedrog, en de schoonheid ijdelheid; maar een vrouw die den Heere vreest, die zal geprezen worden.'

Aagje luistert met deemoedig neergeslagen ogen. Echt iets voor papa! Hij is trots op haar. Maar soms is hij bezorgd dat ze te veel opgaat in ijdelheden.

De gasten nemen afscheid.

„Ik wil u hartelijk bedanken voor uw gastvrijheid," zegt van Hasselaer met een kleine buiging. „Ik ben geroerd dat u een vreemdeling zomaar op uw feest hebt geïnviteerd."

„Ik hoop dat u zich spoedig thuis zult voelen in Leeuwarden," zegt Aagje beminnelijk.

„Wanneer ik zulke charmante dames ontmoet, zal dat zeker gebeuren," complimenteert de jonker.

Twee donkere ogen kijken Aagje aan. Ze kleurt als een pioenroos, en dat is voor het eerst op deze lange dag waarop ze bedolven werd onder de vleiende woorden.

De dag van Aagjes verjaardag is voor Feikje niet alleen lang en vermoeiend, maar ook vol onverwachte momenten. Het begint al wanneer ze 's morgens vroeg de keuken in komt. Er klinkt geritsel bij het aanrecht en tot haar afgrijzen ziet ze een muis wegglippen. Het liefste was ze meteen weer naar boven gehold, naar haar veilige kamer op de zolder. Maar er moet gewerkt worden vandaag! Daarom gaat ze gauw hulp halen, want om alleen in de keuken te zijn terwijl dat ondier elk moment weer tevoorschijn kan komen, nee, dat wil ze voor geen geld ter wereld. Ze slaat een warme doek om en loopt de tuin in. Bij het koetshuis bonkt ze op de deur.

„Bouke, Bouke, kom gauw!"

Boven in het koetshuis woont de knecht in twee kamertjes. Hij daalt op zijn gemak de ladder af en opent de buitendeur. Daar staat Feikje, huiverend in de ochtendkou en met angstige ogen.

„Wat is er? Brand?"

Bouke kent Feikje lang genoeg om te weten dat ze maar een heel klein hartje heeft. Door een kleinigheid kan ze al van slag raken. Ook al is hij jaren jonger, hij neemt graag een beschermende houding aan tegenover haar. Tenslotte is hij de man in de keuken.

„Bouke, je moet me helpen. Ik zag een muis in de keuken!"

„O jong, wat gefaerlik."
Er trekt een brede grijns over zijn gezicht.
„Daar gaan we wat aan doen."
Hij pakt een paar muizenvallen van de plank en loopt met Feikje naar het grote huis.
„Ga jij maar eerst naar binnen, Bouke."
„Famke, net sa benaud." *)
Titia is ook al beneden.
„Wat moet dat? O, is het weer zover?"
Ze snijdt een stukje kaas af en begint het ontbijt klaar te maken. Titia is nooit bang, ze heeft ook geen bescherming nodig. Bouke zet de vallen en begint aan het kookvuur. Dat moet na de nacht weer tot leven gewekt worden. Hij legt kleine houtjes over de warme as en hanteert voorzichtig de blaasbalg. Als hij het vuur té enthousiast aanblaast dan heeft hij straks stukjes roet in zijn pap, dat weet hij uit ervaring.
Ze ontbijten met z'n drieën aan de grote tafel en bespreken het vele werk dat die dag gedaan moet worden. Titia heeft daarbij de leiding. Ze is al dertig jaar in dienst bij de Roorda's, ze kent de familie met alle tradities en gevoeligheden, met alle eisen die stilzwijgend gesteld worden.
Eerst moet de salon in orde gemaakt worden. Tafels moeten gedekt, zilver moet opgepoetst worden, wijnkoelers klaargezet en glazen opgewreven. Met z'n drieën gaan ze aan de slag. Voeten gaan de trap op en af. De vlugge, jonge voeten van Feikje, de stevige stap van Bouke, die vooral de zwaarste dingen aansleept en de vermoeide voeten van Titia.
Halverwege de morgen komt Jorrit, de bakkersknecht de keuken binnen. Alleen Feikje is er.
„Moarn famke, hier is het gebak."
„Dank je Jorrit, zet het maar op de tafel."
Hij doet het voorzichtig. Drie platte manden, waar het beste van het beste in zit. Dan kijkt hij Feikje aan.
„Eindelijk alleen. Heb je wel even tijd voor een tútsje?" **)

*) meisje, niet zo bang.
**) kusje

Aarzelend kijkt Feikje naar de deur. Komen de anderen er niet aan? Jorrit heeft geen zin om daar op te wachten. Hij slaat zijn armen om Feikje heen en zoent haar stevig.

„Je bent het liefste famke van de hele stad. Wanneer gaan wij eens een zondagmiddag langs de gracht wandelen?"

„Ik eh... ik weet niet of..."

„Vind je mij niet aardig?"

„Jawel Jorrit, maar..."

Er komt iemand aan. Feikje maakt zich los uit de stevige bakkersarmen en doet een paar stappen achteruit.

„In ieder geval kom ik morgen de manden weer ophalen," belooft Jorrit.

Fluitend verdwijnt hij over het tuinpaadje. Die vrouwen... ze willen allemaal veroverd worden. Nou, dat zal hem wel lukken. Zo'n lief famke. Ze mag hém ook graag, dat is duidelijk.

Titia is aan de keukentafel gaan zitten om twee kandelaars op te poetsen. Ze ziet de felrode kleur op Feikjes wangen.

„Je weet dat het niet kan," zegt ze.

„Jawel, maar..."

„Dan moet je dat tegen hem zeggen."

Was het maar zo eenvoudig, denkt Feikje. De bakkersknecht draait al langer om haar heen. Ze heeft hem steeds van zich afgehouden. Maar dat moedigde hem alleen maar aan. Vandaag heeft hij voor 't eerst iets tegen haar gezegd. 'Je bent het liefste famke van de hele stad.'

Jorrit is een eerlijke, openhartige man, die niet zo jong meer is. Vijfendertig schat ze hem, iets ouder dan zijzelf is. Dolgraag zou ze verkering met hem krijgen. Maar het kan niet, Titia heeft gelijk.

„Zou je het theeservies niet eens gaan omwassen?" vraagt Titia.

„O eh, ja natuurlijk."

Feikje zet zich weer tot het werk. Maar haar gedachten zijn bij Jorrit. Hij is zo aardig en hij wil haar. Zelf wil ze ook. Maar hoe moet ze hem duidelijk maken dat het niet mag? De hele dag doet ze dingen fout, voortdurend vergeet ze iets, zozeer houdt het probleem haar bezig.

Het ergste gebeurt 's avonds, als ze saus knoeit op het tafellaken. Gelukkig zegt juffrouw Agatha er niets van. Maar morgen? Dan sil der in wyn waaie! *)

Als de laatste gasten afscheid nemen is het al diep in de nacht. Feikje is doodmoe. Nu moeten ze de eetkamer nog opruimen, want morgenochtend wil meneer Roorda daar ontbijten. Hij gaat gewoon op tijd naar de smederij, feest of geen feest. Juffrouw Agatha wil haar ontbijt waarschijnlijk op bed, en erg vroeg zal dat niet zijn. En Marije? Ach, die eet net zo lief in de keuken. Feikje zucht. Geen van die jonge gasten van vandaag hoeft morgen vroeg uit bed om aan 't werk te gaan, denkt ze verontwaardigd. Maar zíj wel. Niemand vraagt zich ooit af of het te zwaar is. Behalve meneer Roorda, die heeft de huisknecht van de Menkema's ingehuurd. Dat nam hun een boel werk uit handen. En verder hebben ze een heleboel fooien gekregen, dat maakt veel goed. Morgen zullen ze die eerlijk verdelen.

De volgende ochtend komt Jorrit heel vroeg de manden ophalen, net als ze met z'n drieën aan de ochtendpap zitten. Bouke ziet de knecht aankomen over het tuinpad en zegt:

„Der binnen werom mûzen om 'e hjouwer." **)

Feikje vliegt overeind. „Muizen! Alweer?"

Dan ziet ze Boukes plagerige ogen. Gelijk komt Jorrit binnen.

„Bouke, kwajongen die je bent."

Ze pakt de manden van Jorrit aan en loopt met hem mee naar buiten. Want ze heeft iets bedacht.

„Jorrit, ik moet met je praten. Ergens waar we niet gestoord kunnen worden. Kom zondagavond naar het koetshuis. Bouke is er niet, die heeft zijn vrije dag. Ik zal zorgen dat de grendel van de tuinpoort is."

Hij moet het even op zich in laten werken, het komt heel onverwacht. Hapt ze nu toe, wil ze echt verkering met hem? Maar waarom kijkt ze dan zo ernstig? Nou, dat hoort hij dan wel.

„Ik zal er zijn," belooft hij.

*) dan zal ze de wind van voren krijgen.
**) er komen muizen op de haver af, fig. belangstelling van een vrijer voor een meisje.

Feikje is de rest van de week wel zenuwachtig. Ze moet Jorrit afwijzen, maar eigenlijk wil ze dat helemaal niet.

Als ze die zondagavond het koetshuis binnengaat is Jorrit er al.

„Famke, leaf famke."

Ze weert hem af.

„Wat nu? Wil je me niet? Je vindt mij toch ook aardig?"

„Ja maar het is zo dat eh..." Ze begint ervan te stotteren.

„Rustig maar, ik heb alles al bedacht Feikje. Ik woon samen met mijn muoike *) in een huisje in de Haniasteeg. Ik wil met je trouwen. Je kunt gewoon bij ons in komen wonen, er is ruimte genoeg en muoike zal het gezellig vinden, een vrouw bij haar in huis. Ik zal hard werken Feikje, het zal je aan niets ontbreken."

Ze legt een hand op zijn mond.

„Stil Jorrit. Ik zou het fijn vinden. Maar ik... ik ben een getrouwde vrouw."

„Wát?" Stomverbaasd kijkt hij haar aan. „Daar heb ik nooit iets van gemerkt."

„Nee, dat komt omdat eh, hij is niet hier in de stad."

„En wie is die omkoal **) die jou hier zomaar alleen laat? Vaart hij op een schip? Of is hij soms een marskramer?"

„Nee, geen van beide. Murk was huisknecht, hier bij de familie Roorda. We woonden hierboven, in het koetshuis."

Feikje slikt. Het was geen prettige tijd.

„Op een dag kwam hij in het blokhuis terecht, na een vechtpartij in een herberg. Hij werd veroordeeld tot een jaar tuchthuis. Daaruit is hij ontsnapt en toen is hij spoorloos verdwenen."

„De stad uit natuurlijk," zegt Jorrit. „En die komt nooit meer terug. Wat houdt ons dan tegen?"

„Dat ik nog steeds een getrouwde vrouw ben," zegt Feikje sip.

„Wat een onzin. Moeten wij ons daaraan storen?"

„Ja. Als ik met iemand anders omga zullen ze zeggen dat ik een troubrekker ***) ben. De familie Roorda zal me wegsturen. Ik ben al blij dat ik mocht blijven toen Murk in het tuchthuis zat."

*) tante
**) sufferd
***) echtbreekster

Jorrit knikt. Ze heeft gelijk. Een vrouw wordt vaak mee gestraft met haar man. Laatst werd er een sjouwerman verbannen wegens diefstal. Zijn vrouw, een eerzame naaldenmaakster met voldoende werk, moest mee de stad uit, al wilde ze dat helemaal niet. Zo hard is de wereld wel.

Hij slaat zijn armen om haar heen.

„Feikje, ik wil niet dat de mensen je kwaad doen."

„Dan moet je me niet meer zoenen Jorrit," zegt ze triest.

„Nu ziet niemand ons."

Hij knuffelt haar stevig.

„Hoe lang is die vent van je al weg?"

„Vijf jaar."

Hij zegt een lelijk woord.

Buiten klapt Titia in de handen, het teken dat ze hebben afgesproken.

„Ik moet weg, er is voor me gebeld."

„Kom je wel terug?"

„Ja."

Kwaad loopt hij heen en weer door het koetshuis. Vijf jaar! Dat is allang geen huwelijk meer. Er moet iets op te vinden zijn. Zodra Feikje terug is zegt hij:

„Famke, we moeten iets bedenken. Ik wil in alle eer en deugd met je trouwen. Dat wil jij toch ook?"

„O ja Jorrit, dat weet je best."

Hij haalt haar nog één keer stevig aan.

„We laten het er niet bij zitten Feikje, we geven de moed niet op."

Ze is blij dat Jorrit het nu weet. Achter hem vergrendelt ze de tuinpoort. Door de kille avond gaat ze terug naar het grote huis.

Er is een oude bekende in de stad aangekomen. Hermannus Blok, die jarenlang theekoopman was in dienst van de VOC. Zodra Wiardus hoort dat de man in Leeuwarden is nodigt hij hem uit voor een ontmoeting. Op de afgesproken tijd haast hij zich naar het koffiehuis, niet alleen omdat het pijpenstelen regent maar vooral omdat hij uitziet naar berichten over IJsbrand. Zijn zoon, die zich zo verschrikkelijk misdroeg dat hij hem naar Indië stuurde. Blok nam de jongen onder zijn hoede en leerde hem alles over de theehandel. Een paar keer heeft hij Wiardus een brief gestuurd vanuit Batavia. IJsbrand zelf laat zelden iets van zich horen.

Ze zitten in een rustig hoekje van de gelagkamer. De waard brengt koffie met room. Wiardus kijkt naar de man die tegenover hem zit. Wat is die oud geworden! Broodmager, met een gelig gezicht vol rimpels. Het klimaat in Indië is erg ongezond, dat is bekend. Zou IJsbrand...?

Hij duwt zijn brandende vragen weg en informeert beleefd naar het welzijn van Blok.

„Ik heb begrepen dat u voorgoed in de Republiek blijft?"

„Dat is de bedoeling. Ik heb de zaken in Batavia overgedragen aan een medewerker. Zelf ga ik in Amsterdam wonen, omdat ik nog wel betrokken blijf bij de VOC-handel."

„En wat brengt u naar Leeuwarden?"

„Ik heb hier familie, die ik weer wilde zien. Intussen doe ik nog enkele zaken. Tenslotte wordt hier ook thee gedronken."

„Had u een goede reis?"

„Heel voorspoedig. Alleen bij de Kaap een flinke storm."

Wiardus bedoelde de tocht van Amsterdam naar Friesland, maar bedenkt dat dit voor een man als Blok niets bijzonders is. Beleefd luistert hij naar het relaas over de lange zeereis. Blok kan interessant vertellen. Maar eigenlijk wil Wiardus maar één ding horen. Zodra Blok is uitverteld vraagt hij:

„Weet u hoe mijn zoon het maakt? Wij krijgen zo zelden bericht van hem."

„Uw zoon woont niet meer in Batavia," antwoordt Blok. „Hij heeft een plantage gekocht in de bergen en daar heeft hij een mooi huis laten bouwen."

„Een huis! Waar bekostigt hij dat van? Zoveel heeft de handel hem toch niet opgeleverd in die paar jaar?"

Blok glimlacht wrang.

„Er zijn in Indië meer manieren om rijk te worden."

„Bedoelt u dat hij niet eerlijk is?"

„Vermoedelijk niet."

De schrik slaat Wiardus om het hart.

„En doet de Compagnie daar niets tegen?"

„Ach meneer Roorda, er zijn zoveel corrupte mensen in dienst van de Compagnie, daar zou je gemakkelijk een balzaal mee kunnen vullen."

„Hebben ze dan geen gezag, daar in Batavia?"

„Zeker, maar ook daar zitten lieden die zich voor goed geld laten omkopen."

„Dus mijn zoon doet mee aan die praktijken?"

„Ik ben bang van wel."

Wiardus is sprakeloos. Zelf is hij altijd eerlijk in zaken. Hij verafschuwt mensen die anderen bedriegen en afzetten. En nu gedraagt IJsbrand zich even afkeurenswaardig.

„Weet u ook waarom mijn zoon in de bergen is gaan wonen?" vraagt hij.

„Het klimaat is daar veel gezonder."

„Maar is het niet vreselijk eenzaam op zo'n plantage?"

„Dat valt mee. Hij heeft een heleboel inlands personeel en een blanke administrateur. In de droge tijd bezoekt hij zijn kennissen in Batavia."

„Zou hij daar eh... een goede echtgenote kunnen vinden?"

Blok moet moeite doen om niet te lachen.

„De VOC staat het haar dienaren niet toe om te trouwen. Alleen wie een zeer hoge post bekleedt mag een vrouw uit Holland laten overkomen."

„Maar wie zorgt er dan voor hem?"

„Zoals ik al zei, hij heeft genoeg personeel. En verder zal ik maar open tegen u zijn, sinds jaren leeft hij met een inlandse vrouw. Ze hebben twee kinderen. Jongens."

Het duizelt Wiardus. Wat een vreemde wereld. Niet mogen trouwen en daarom met een concubine leven. Kinderen krijgen buiten het huwelijk!

Hij slikt zijn oordeel in. Wie is hij om dit gedrag af te keuren? Zelf is hij immers geen haar beter. Met een zucht denkt hij aan zijn jonge jaren. Schaatstochten in de winter, feesten in de zomer. Met z'n vrienden naar de kermissen in de omgeving, dansen en drinken tot diep in de nacht. Tenslotte de zomer waarin hij die éne ontmoette, de vrouw die hem in vuur en vlam zette. Een huwelijk was onmogelijk, daarvoor was het standsverschil te groot. Ze wisten het en misschien wel daarom zochten ze elkaar op bij iedere gelegenheid. Eénmaal vierden ze hun liefde in een vurige omhelzing. Later schaamde hij zich daarvoor. Dat hun daad gevolgen zou hebben heeft hij nooit geweten. Tot hij er kort geleden bij toeval achterkwam. Ook híj heeft een kind buiten het huwelijk. Over IJsbrand hoeft hij niet te oordelen. Toch is er een verschil. Niemand, behalve de moeder, weet dat hij de vader van dat kind is. Hij houdt het zorgvuldig geheim. Daarginds, in Indië, leeft zijn zoon openlijk met een vrouw met wie hij niet getrouwd is. Een inlandse nog wel.

„En wat vinden de mensen daarvan?" vraagt hij voorzichtig.

Blok haalt zijn schouders op.

„Och, die storen zich daar niet aan. De moraal is daarginds niet zo benepen als hier. En je kunt toch niet verwachten dat al die werknemers van de Compagnie leven als monniken."

Wiardus is geschokt. Naar dat zedeloze land heeft hij IJsbrand gestuurd. Omdat de jongen hier in Leeuwarden zich keer op keer bedronk en achter de vrouwen aanzat. Hij had hem net zo goed in Leeuwarden kunnen laten. Maar zijn goede naam dan? Wiardus herinnert zich duidelijk de geschiedenis met die publieke vrouw. Ze beweerde dat IJsbrand haar zwanger had gemaakt. Om een schandaal te vermijden kocht hij haar af met een maandgeld en zond haar de stad uit. Dat was meteen de aanleiding dat hij IJsbrand naar Indië stuurde. De jongen is van de wal in de sloot geraakt! Twee zonen in dat verre land.En misschien ook nog een kind hier, op het platteland.

Wiardus biedt de theekoopman nog een kop koffie aan. Met een bezwaard hart gaat hij naar huis. Wat een berichten! Met geen mens zal hij hierover praten, zelfs niet met zijn dochters.

5

Johannes zit aan zijn bureau. Op zijn gemak ordent hij zijn paperassen. Intussen denkt hij na over het gesprek dat hij zojuist in zijn kantoor voerde. Tegenover hem zat een verontwaardigde vader, wiens dochter al twee jaar verloofd was met een officier van het garnizoen. Het huwelijk had allang plaats moeten vinden, maar de aanstaande echtgenoot schoof de trouwdatum steeds naar voren. En nu is hij zonder bericht vertrokken naar een vesting in het Hollandse.

„En wat zeggen de ouders van de bruidegom?" heeft Johannes gevraagd.

„Die zeggen dat hun zoon wel weer terugkomt. Maar daar twijfel ik ten zeerste aan, meneer. Het lijkt me zonneklaar dat de jongeman geen zin heeft in mijn dochter."

„Heel pijnlijk voor haar. En ook voor u."

„Inderdaad."

„Was er een huwelijkscontract?"

„Zeker, ik heb het bij me."

Johannes heeft het contract met aandacht doorgelezen en daarna zo goed mogelijk raad gegeven. Hij heeft het op zich genomen om een brief aan de onwillige bruidegom te schrijven en hem te vermanen zijn verplichtingen na te komen. De stem van een jurist weegt zwaarder dan die van een vader.

Nu is hij alleen en overdenkt het gesprek nog eens. Stel dat die officier tot bezinning komt en alsnog met de jongedochter trouwt, worden die twee dan gelukkig met elkaar? Een huwelijk heeft, vooral in de hogere kringen, altijd een zakelijke kant. Maar als er geen genegenheid is tussen de echtelieden dan kan hun leven een kwelling worden. Dat heeft hij gezien bij de Roorda's, bij wie hij vijf jaar geleden regelmatig in huis kwam. Het huwelijk tussen meneer en mevrouw was ronduit slecht. Hij heeft best gemerkt wat een kilte er was in dat deftige huis. In gedachten heeft hij altijd partij gekozen voor meneer Roorda, die goed voor hem was en hem waardeerde om zijn werk. Mevrouw deed verschrikkelijk hooghartig, ze keek gewoon aan hem voorbij.

Wat een verschil met het gezin van Dieuwertje, zijn zus. Van het begin af aan was er liefde en wederzijds respect tussen haar en Jan Anne. Nu hebben ze samen een warm nest, waarin hijzelf zich dagelijks kan koesteren.

Het werk is klaar. Johannes sluit zijn kantoor af en loopt door de kille novemberregen naar het huis van zijn zusje. Tot zijn verbazing treft hij in de woonkeuken geen Dieuwertje aan, maar Marije, die bij het kookvuur in een ketel staat te roeren.

„Marije, wat doe jij hier? Waar is Dieuwertje?”

Marije legt een vinger tegen haar lippen.

„Dieuwertje slaapt. Ze is ziek.”

De deur naar het zijkamertje staat op een kier. Johannes schrikt.

„Is het ernstig?”

„Ze heeft hoge koorts. Vanmorgen is het begonnen.”

„Is de dokter geweest?”

„Nog niet. Jan Anne heeft zijn moeder erbij gehaald, die heeft een heleboel middeltjes in huis.”

Johannes knikt. Hij herinnert zich hoe vrouw Gerbrandy nog maar kort geleden een goed middel had tegen de kroep, waar Sjoerd het zo benauwd van had. Bij de apotheek was er warempel niets te krijgen waarmee de jongen geholpen kon worden. Hij heeft vertrouwen in vrouw Gerbrandy. Maar dat neemt zijn bezorgdheid niet weg.

„Wat hééft Dieuwertje eigenlijk?”

„Een zware kou gevat.”

„Ik mag zeker niet bij haar kijken.”

„Nu liever niet, ik ben blij dat ze slaapt. Ga zitten Johannes, dan schenk ik je een kroes dunbier in.”

Hij nestelt zich in de grote stoel van Jan Anne. Marije trekt de haal omhoog en komt tegenover hem zitten.

„Maar hoe kom jíj hier zo opeens?” vraagt hij.

„Nou, heel gewoon. Ik kwam van de Franse les en wilde even een kop thee drinken bij Dieuwertje. Jan Anne stond net te bedenken hoe het met de avondmaaltijd moest. Want Dieuwertje kan niet op haar benen staan. Ik kwam dus precies op het goeie moment.”

Verwonderd kijkt hij haar aan. Ze zit daar zó gewoon, met de boezelaar van Dieuwertje voorgebonden, alsof het de meest van-

zelfsprekende zaak is dat zij Dieuwertjes taak overneemt.
„Ik wist niet dat je kon koken."
„Van Titia geleerd, ik help haar vaak."
„Het ruikt voortreffelijk."
„Gewoon soep. Ik hoop dat Dieuwertje er ook iets van wil."
„En waar is Sjoerd?"
„Bij zijn oate in de Sacramentssteeg. Die twee kunnen het wonderwel met elkaar vinden."
Johannes lacht.
„Wie kan het nu niet met Sjoerd vinden?"
Marije staat op om nog eens in de soep te roeren. Johannes geniet van zijn bier en voelt zich loom worden bij het vuur.
„Heb je een drukke dag gehad Johannes?"
„Gelukkig wel. Bij Buwalda lag een stapel werk, de morgen was zomaar om. En op mijn eigen kantoor had ik drie cliënten. Met nog het nodige schrijfwerk."
„Papa is heel blij dat je voor hem ook nog tijd hebt."
„Ik doe het graag voor hem."
„Vroeger ben je ook een tijd lang zijn secretaris geweest, weet je nog?"
„Of ik dat nog weet! Wanneer ik zat te schrijven in jullie zijkamer dan kwam er wel eens een ondeugend meisje mij storen bij het werk. Ze wilde met me dammen."
Marijes ogen beginnen te twinkelen.
„Vond je dat erg?"
„Niet echt." Hij kijkt haar warm aan. „Je ging helemaal op in het spel. En je won het ook vaak, je was een echte kei."
Johannes ziet zich weer aan de keukentafel zitten, met Titia als toeschouwer. Zodra zijn aandacht maar even verflauwde sloeg Marije haar slag. Twaalf jaar was ze toen, een gezellige kameraad. Nu is ze achttien. Een volwassen vrouw, die staat te koken alsof ze het elke dag doet.
Samen zitten ze bij het haardvuur, dat niet eens het hunne is. De warmte en huiselijkheid doen Johannes goed. Kon hij maar altijd zo thuiskomen. Opeens is er een heftig verlangen in hem naar een eigen plek. Een klein, bescheiden huis, waar hij wordt opgewacht door zijn vrouw. Niet zomaar een vrouw. Nee, door deze vrouw,

deze goede kameraad bij wie hij zich op zijn gemak voelt, bij wie hij zichzelf kan zijn. Hij kijkt Marije aan en een gloed komt op zijn wangen. Echt knap is ze niet. Maar ze is hem zo vertrouwd, hij vindt haar oneindig lief. Hij zou op willen staan en zijn arm om haar heen leggen. Haar vragen of ze zijn leven wil delen...

Meteen duwt hij zijn verlangen weg. Het zal nooit gebeuren. Hij is van heel eenvoudige komaf, terwijl de Roorda's tot de hoogste kringen behoren. Behalve het standsverschil is er nog iets. Het geld! Meneer Roorda is schatrijk, terwijl hij zelf nog maar nauwelijks iets heeft kunnen sparen van zijn verdiensten. De echte armoede is voorbij, maar rijk zal hij nooit worden. En geld trouwt met geld, dat weet iedereen. Later zal Marije de vrouw worden van iemand die haar een groot huis zal kunnen aanbieden, met veel personeel en alle luxe die een mens zich kan wensen. Hoe graag meneer Roorda hem ook mag, hij zal nooit toestemmen in een huwelijk.

Op hetzelfde moment neemt Johannes zich één ding voor. Nooit zal hij iets van zijn gevoelens laten merken. Niet aan Marije en niet aan haar vader. Het zou alle goede verhoudingen schaden. Er zou afstand komen en dat wil hij niet. Daarvoor is de vriendschap met Marije hem veel te kostbaar. En de vertrouwelijke omgang tussen hem en meneer Roorda wil hij ook niet verbeuren.

Uit de zijkamer klinkt een schorre hoest. Marije vliegt overeind en gaat naar de zieke toe. Johannes hoort ze praten. Het hese geluid van Dieuwertje en de rustige stem van Marije die antwoord geeft.

„Breng eens een kom water Johannes."

Hij pompt koel water omhoog en loopt de zijkamer in. Marije stopt een kussen achter Dieuwertjes rug en helpt haar met drinken. Johannes schrikt van de vurige blossen op Dieuwertjes wangen. Zwijgend staat hij erbij. Als ze terugzakt in haar kussen vraagt hij bezorgd:

„Hoe is het famke?"

„Sa slop as in skiteldoek." *)

*) Zo slap als een vaatdoek. Skiteldoek = luier.

Ze lacht ondeugend, maar schiet meteen weer in een nieuwe hoestbui. Johannes trekt zich geschrokken terug in de keuken en laat Dieuwertje over aan Marijes zorgen. Staande bij de haard drinkt hij zijn laatste restje bier. Nu wil hij alleen zijn. Met een haastige groet neemt hij afscheid.

„Beterschap zusje. Dag Marije, tot ziens."

Buiten is het aardedonker. Bij alle huizen zijn de luiken gesloten. Huiverend loopt hij langs de verlaten grachten. Hij voelt zich ontheemd. Iedereen heeft zijn eigen plek. Maar híj dwarrelt als een afgeslagen lindeblad van hot naar haar. 's Morgens naar Buwalda, 's middags naar zijn eigen kantoor. Na het werk gaat hij naar de woonkeuken van zijn zusje voor wat gezelligheid. Daarna naar mem voor de warme maaltijd. En 's avonds weer naar zijn sobere kantoor en naar het kabinetje, waar zijn bed staat.

Streng roept hij zichzelf tot de orde. Je bent een ontevreden vent, Johannes. En dat terwijl je het zo goed hebt. Geen armoede meer, prettig werk en een heleboel lieve mensen om je heen. Daar had je vijf jaar geleden niet van durven dromen, toen je met de honger in je lijf liep.

Mem heeft snorrepotje gemaakt.

„Lekker mem, ik heb best trek."

„Was het druk jongen?"

„Ja nogal. Ik ben uit mijn werk nog even bij Dieuwertje geweest. Ze is ziek."

Mem laat van schrik de lepel uit haar hand vallen.

„Is het erg?"

„Ze heeft wat koorts. Een kou gevat waarschijnlijk."

Johannes doet of het een bagatel is en laat niets van zijn ongerustheid merken. Mem is zo gauw van slag.

„Ligt ze op bed?"

„Ja."

„Maar hoe moet het daar nou? Wie past er op Sjoerd?"

„Die is bij vrouw Gerbrandy. En Marije was er."

„Marije Roorda?"

„Ja."

„Nou, dat komt dan wel ongelegen, net nu Dieuwertje ziek is. Dan kun je geen visite gebruiken."

„Marije kookte het eten."
„Echt waar? Zo'n deftige jongedame."
„Marije is helemaal niet deftig mem. En de soep rook prima."
„Ik zal er morgen gauw naar toe. Eens kijken, als ik de winkel iets later open doe dan kan ik eerst naar de markt."
Johannes glimlacht. Wat een verschil is er tussen de beide moeders. Mem, die zo zenuwachtig doet, en vrouw Gerbrandy die zo rustig haar gang gaat. Dieuwertje zal meer steun hebben aan haar schoonmoeder.

Marije komt nog net op tijd thuis voor de avondmaaltijd.
„Waar was je?" vraagt Aagje zodra het eten op tafel staat.
„Bij Dieuwertje."
„De hele middag?"
„Na de Franse les ben ik naar haar toe gegaan."
„Dan ben je wel erg lang gebleven."
„Ja, dat klopt. Maar ik heb toch een boodschap gestuurd dat ik wat later kwam. Is Dirk niet langs geweest?"
„Ja, de krullenjongen kwam het zeggen. Toch kun je best gewoon op tijd komen."
„Vandaag niet. Dieuwertje is ziek en ik heb daar geholpen."
Aagje is verbaasd.
„Heb je op Sjoerd gepast?"
„Nee, die was bij zijn oate. Ik heb soep gekookt."
„Jij? Wat ongepast."
„Vind je? Jan Anne was heel blij dat ik voor het eten zorgde."
„Maar waarom zou jíj dat doen? Ze hebben toch goeie buren?"
Wiardus neemt het op voor zijn jongste.
„Het is goed om elkaar te helpen als dat nodig is. Is het ernstig met Dieuwertje?"
„Een stevige kou. Ze moet het bed houden."
„Laten we beginnen."
Wiardus spreekt het dankgebed uit. Ze eten zwijgend. Wiardus' gedachten zijn bij Dieuwertje. Hij is erg op haar gesteld. Vanaf haar schooljaren kwam ze regelmatig met Aagje mee, die twee zijn lange tijd vriendinnen geweest. Naarmate de jongedames ouder werden zag hij het grote verschil in karakter steeds duide-

lijker. Dieuwertje is vrolijk en spontaan. Altijd staat ze open voor anderen. Aagje is steeds nuffiger geworden. Soms kan ze vreselijk egoïstisch zijn. Had ze maar iets meer van Dieuwertjes hartelijkheid!

Nu heeft Dieuwertje haar gezin. Een echtgenoot die zijn vak verstaat. En een vrolijk kind. Wiardus denkt aan de zondagse visite, waar hij zo genoten heeft van Sjoerd. Hij gunt Dieuwertje die rijkdom! Wanneer zal Aagje haar levensgezel vinden? Verleden week nog is hij benaderd door een koopman hier uit de stad. De man is schatrijk en woont in een groot, weelderig ingericht huis. Enkele jaren geleden is zijn vrouw in het kraambed gestorven. Ook het kind bleef niet in leven. Nu wil de weduwnaar opnieuw trouwen. Hij is niet zo jong meer. Wiardus heeft zijn dochter voorzichtig gepolst. Met grote stelligheid heeft ze het idee van de hand gewezen. Die oude man? En dan een tweede huwelijk, omdat zijn eerste vrouw...? Wiardus heeft de schrik in haar ogen wel gezien. Hij begrijpt dat niet helemaal. De meeste vrouwen willen toch graag kinderen? De risico's van een bevalling nemen ze op de koop toe. En vaak gaat het goed. Hij denkt aan Dieuwertje, die straks haar tweede kind krijgt. Ze was stralend en gelukkig.

Ze drinken hun koffie in de groene kamer. Wiardus bladert in een paar tijdschriften, Marije werkt aan een tekenopdracht. In haar stoel bij de haard zit Aagje, verdiept in een boek. Een Franse roman. Ze leest over een graaf die uit zijn gevangenschap weet te ontsnappen. Hij gaat terug naar zijn kasteel, waar hij plannen smeedt om zich op zijn vijanden te wreken. Als hij ze onschadelijk gemaakt heeft zal hij terugkeren naar het hof van de koning, om daar zijn rol te spelen. Aagje heeft zich een duidelijk beeld gevormd van de graaf. Een sober geklede, slanke figuur, een smal gezicht met donkere ogen die haar bewonderend aankijken. Elke dag droomt ze van hem. Jonker Jacob van Hasselaer! De manier waarop hij afscheid van haar nam na het feest! Hij was diep onder de indruk van haar charme, dat was wel duidelijk. Wanneer zal hij belet vragen en een visite komen afleggen in hun deftige salon? Papa zal verrast zijn, en zeker zijn toestemming geven voor een verdere kennismaking. Aagje ziet zichzelf al door de stad wandelen aan de arm van de jonker. Een luisterrijke bruiloft zal het worden En daarna komt ze zeker in de kringen van het Hof. Misschien wordt ze wel voorgesteld aan Prins Willem en Prinses Anna. Een gouden toekomst gaat voor haar open. Ze zal schitteren naast van Hasselaer, ze zullen een prachtig paar zijn!

Iedere ochtend, zodra ze wakker is, vraagt ze zich af of hij deze dag zijn brief zal laten bezorgen. Het duurt wel erg lang. Maar misschien overlaadt de Prins hem met werk, of heeft hij hem op reis gestuurd voor een missie. Maar komen zál hij, daarvan is ze overtuigd. Zijn vurige blikken gaven daar genoeg duidelijkheid over.

Aagje droomt alle dagen. Ze is toegeeflijk tegenover het personeel en vriendelijk tegen de muziekmeester. Ze leeft helemaal in haar eigen wereld vol aangename fantasieën. Het ontgaat haar dat Marije en haar vader af en toe praten over Dieuwertje, met wie het niet goed gaat.

Sinterklaasavond. Johannes staat op van tafel.

„Zullen we meteen maar gaan mem?"

„Eerst de vaat wassen hoor. Het water is al warm."

Johannes tilt de ketel van de haal en giet het water in een teil.

„Zal ik het vuur vast toedekken?"

„Doe dat maar."

Vol ongeduld zit hij te wachten. Konden die pannen en telloren niet blijven staan? Hij wil naar Dieuwertje, hij wil weten hoe het met haar gaat. Eindelijk, mem is klaar. Ze sluit haar winkeltje zorgvuldig af.

„Hebt u de speculaasbrokken?"

„Ja hoor."

Zelf heeft hij een doos met suikerbeesten gekocht. Vooral Sjoerd zal ze prachtig vinden.

„Loop eens iets langzamer Johannes, mijn benen zijn niet zo jong meer."

„Neem me niet kwalijk mem."

Als ze binnenkomen in de gezellige woonkeuken zit Dieuwertje in een gemakkelijke stoel bij de haard. Een warme omslagdoek is zorgzaam om haar schouders gelegd. Johannes ziet haar witte gezichtje met de donkere kringen onder haar ogen.

Voorzichtig kust hij haar op het voorhoofd.
„Hoe gaat het? Ben je voor 't eerst uit bed?"
Ze lacht.
„Ja, hoe moest ik anders de goedheiligman ontvangen?"
„Omke Johannes!"
Sjoerd trekt hem opgewonden aan zijn jas.
„Dag bengel, mag jij vanavond fijn opblijven?"
Johannes begroet Jan Anne en daarna vrouw Gerbrandy. Ze staat bij de tafel en snijdt de poffert aan, die ze gebakken heeft voor het feest. Johannes heeft haar de afgelopen dagen heel wat keren gezien.
Op haar rustige manier zorgde ze voor Dieuwertje en het gezin, en kookte de maaltijd. Johannes heeft er bewondering voor. Wat een steunpilaar! Soms, als vrouw Gerbrandy niet kon komen, trof hij Marije. Die twee, Marije en moeder Janna, hielden samen het huishouden gaande, zodat Dieuwertje er geen omzien naar had en rustig het bed kon houden.
Ze drinken hete anijsmelk en proeven van de poffert. De cadeautjes worden uitgepakt, kleine verrassingen met grappige gedichtjes. Opeens wordt er hard op de deur gebonkt. Sjoerd schrikt op en begint te huilen.
„Stil maar jongen," zegt Jan Anne, „ik denk dat het Sint Nicolaas is."
Hij gaat naar de deur en komt terug met een mand die volgeladen is met pakjes.
„Nou nou," zegt moeder Jitske met ontzag in haar stem. „Wist jij daarvan Jan Anne?"
„Nee mem, maar op pakjesavond gebeuren dit soort dingen."
Hij zet de mand midden in de kring en begint uit te pakken. De heerlijkste dingen komen tevoorschijn. Een doos met marsepeinen figuurtjes. Een zakje thee. Een fles kruidenwijn. Moeder Janna knikt goedkeurend.
„Dat is voor onze patient, om aan te sterken."
Er komen appelsienen tevoorschijn en tenslotte een busje cacao.
„Wat geweldig," zucht Dieuwertje. „Wie zou dat nou gestuurd hebben?"
„Op sinterklaasavond moet dat geheim blijven," vindt moeder

Janna. Maar Jan Anne zegt waarderend: „In elk geval iemand die weet dat jij ziek bent geweest."

En die een goed gevulde beurs heeft, denkt Johannes er achteraan. Wat heeft dit alles gekost!

„Die cacao," zegt hij, „ is goed voor een mens. Ik heb gelezen dat chocoladedrank heel gezond is, vooral voor mensen die weer op krachten moeten komen. Dus, zusje van me..."

„Nee nee, jullie moeten er allemaal van proeven," protesteert Dieuwertje.

„Ik stel voor dat we eerst die marsepein proberen," zegt Jan Anne, terwijl hij verlekkerd naar de doos met zoetigheid kijkt. „Wat een feest."

Met aandacht proeven ze. Zoiets heerlijks krijgen ze bijna nooit.

„Ik denk dat de familie Roorda dit gestuurd heeft," zegt Dieuwertje. „Die mensen zijn zo gul"

Johannes knikt.

„En altijd vol belangstelling voor jullie," zegt hij. „Meneer Roorda vroeg gisteren nog hoe het met de zieke ging."

„Waar hebben we dat aan te danken?" vraagt Jan Anne zich af, „Marije helpt ons ook al zo geweldig."

„Eigenlijk is het jammer dat jullie geen pakje voor hén gemaakt hebben," vindt moeder Jitske.

„Nou mem, ze hebben wel iets gekregen," zegt Dieuwertje. „En ik denk dat ze er heel blij mee zijn."

„Wat dan?"

„Herinnert u zich het portretje van Sjoerd, dat Jan Anne gemaakt heeft? Het stond hier op de schouw. Gisteren heeft Jan Anne het aan Marije cadeau gedaan, als dank voor al die keren dat ze is komen helpen."

„Eh... die tekening?" aarzelt moeder Jitske, alsof ze denkt: wat heeft iemand nou aan een tekening?

„Marije was er heel blij mee," verzekert Dieuwertje. „Ze is net als haar vader. Altijd geïnteresserd in ontwerpen. U weet toch dat ze zelf ook heel goed tekent, mem?"

„O ja, dat heb je weleens verteld."

Jitske heeft het nooit belangrijk gevonden. Tekenen is iets voor rijke mensen, een aardigheid waar je niets mee verdient. Gewone mensen hebben daar geen tijd voor, die moeten hard werken om in leven te blijven.

Moeder Janna luistert naar de gesprekken met een verholen glimlach.

„Wat bent u stil moeder," zegt Jan Anne.

„Ik denk dat Dieuwertje niet zo lang meer moet opblijven," antwoordt Janna bedachtzaam. „Maar eerst zal ik nog eens anijsmelk inschenken."

„En we moeten uw speculaas ook nog proeven mem," zegt Jan Anne.

„Je bent een schrokop," plaagt Dieuwertje.

„Vanavond is het feest," verdedigt Jan Anne zich. „En als mem speciaal daarvoor iets lekkers heeft gebakken, dan kunnen we dat niet laten liggen. Hè mem? Dan zou u niet tevreden zijn."

„Ja ja, goed. Maar alles met mate hoor."

In de grote keuken van huize Roorda gaan alle dingen gewoon hun gang, ook al is het Sint Nicolaas. Alleen heeft Bouke een stuk gembertaai gekocht. En Titia heeft beloofd dat ze anijsmelk zal maken. Dat wil de familie boven ook drinken, dus is ze van plan om de ketel goed te vullen. Niemand zal haar zeggen dat het personeel in de keuken ook iets extra's mag. Nou, dan zorgt ze er zelf wel voor.

Laat in de middag komt Jorrit binnen. Hij legt een plat pak op de keukentafel.

„Sa freonen, in noflike jûn mei-inoar." *)

Feikje is er verlegen mee. Ze bloost.

„Dank je wel Jorrit,"

„Dit pakje is toch zeker ook voor ons?" vraagt Bouke.

„Nou en of, voor alledrie. Wie brengt mij even naar de tuinpoort?" De vraag hoeft geen antwoord. Feikje slaat een warme doek om en loopt met Jorrit mee naar buiten. Vlak bij het koetshuis blijft hij staan.

„Nee, niet hier," zegt Feikje bang. „Ze kunnen ons zien vanuit het huis."

*) Zo vrienden, een genoeglijke avond met elkaar.

„Ik wil alleen iets vragen famke. Kun je zondagmiddag bij mijn muoike op de thee komen? We hebben een plannetje bedacht."

„Maar hoe… wat?

„Nou, dat hoor je zondag vanzelf. Je weet toch waar mijn muoike woont?"

„Ja, in de Haniasteeg."

Feikje is er stiekem al eens langsgelopen met haar boodschappenmand, al had ze er niks te zoeken.

„Goed, tot zondag dan."

En weg is hij. Feikje moet een paar keer diep zuchten. Zouden ze echt een oplossing kunnen vinden? En wat is Jorrit van plan?

Op diezelfde dag wordt Aagje vroeg wakker. Het eerste wat ze denkt is: er is iets bijzonders aan de hand. Dan weet ze het. Het is Sint Nicolaas, de dag waarop jonge mensen een cadeau sturen aan hun geliefde. Een speculaasvrijer, of een taaiman. Zou er dan eindelijk een levensteken komen van Jacob? Hij zal de gebruiken van het sinterklaasfeest toch wel kennen? Vieren ze het feest in Holland ook? Een onrustig verlangen jaagt haar uit bed. Ze maakt uitvoerig toilet en daalt de trappen af naar de woonetage. In de eetkamer treft ze haar vader.

„Goeiemorgen papa."

„Dag Agatha. Wat zie je er goed uit."

„Dank u wel."

Zwijgend gebruiken ze hun ontbijt, ieder met de eigen gedachten. Als Wiardus opstaat om naar zijn werk te gaan zegt Aagje:

„Denkt u eraan dat we iets vroeger eten dan gewoonlijk?"

Hij lacht.

„Jazeker, we moeten alle ruimte geven aan de goedheiligman."

Aagje is weer alleen. Ze zoekt de groene kamer op en gaat met haar borduurwerk in de vensterbank zitten. Maar haar handen liggen stil. Dromerig staart ze naar buiten. De weelde van de zomer heeft plaatsgemaakt voor de mistroostigheid van de herfst. Maar ze ziet geen kale takken, geen afgevallen blad. Ze denkt aan de man die haar zo hoofs benaderde, kort geleden, op haar feest. Waar zou hij op dit moment zijn, van Hasselaer? Aan het Hof? Of ergens onderweg, met een opdracht van de Prins? Zouden ze aan het Hof ook Sint Nicolaas vieren? Ze glimlacht en ziet in gedachten de mooi versierde speculaasman die de Prins aan zijn vrouw geeft.

Zelf heeft ze voor vanavond een paar aardige geschenken uitgezocht. Papa krijgt warme pantoffels. En Marije een haarborstel met zilveren handvat. De jongedame mag best wat meer aandacht aan haar uiterlijk besteden.

De dag valt Aagje lang. 's Middags speelt ze een poos klavecimbel, maar ze is er niet helemaal bij met haar aandacht, en maakt veel fouten. Ze staat op en drentelt in de salon op en neer. Hoort ze daar de klopper op de voordeur? Feikjes voeten haasten zich de trap op. In de hal wisselt de dienstbode een paar woorden met iemand, daarna wordt de voordeur weer gesloten. Graag zou Aagje even gaan kijken, maar ze weet zich te beheersen. Ze gaat naar de groene kamer en belt Feikje om de thee. Als er zojuist iets voor haar bezorgd is zal Feikje dat meteen melden. Maar het enige wat Feikje zegt is:

„Alstublieft juffrouw Agatha, uw thee."

Aagje zucht. Het zal wel een brief voor papa geweest zijn.

Ze probeert het met haar boek. Een tijdlang boeit de roman haar, dan neemt de onrust haar weer te pakken. Zou er beneden misschien iets bezorgd zijn? Leveranciers gaan vaak via de tuinpoort. Aagje gaat in eigen persoon de trap af naar beneden. Titia staat bij het kookvuur.

„Hou je er rekening mee dat we iets vroeger willen eten?"

„Zeker juffrouw."

Dan ziet Aagje een grote speculaasvrijer op de keukentafel liggen.

„O, wat zie ik? Is er iets voor ons bezorgd?"

Net op dat moment komt Bouke de keuken binnen met een mand vol hout.

„Zeker juffrouw Agatha, er is iets voor ons bezorgd."

Vragend kijkt Aagje van het lekkers naar de knecht.

„Van wie is deze speculaaspop afkomstig?"

Dat zal Bouke niet verklappen. Hij is op de hoogte gebracht van de moeilijke situatie waar Feikje en Jorrit in zitten en hij weet dat zijn meesteres hier beslist geen lucht van mag krijgen. Daarom bedenkt hij snel een leugentje.

„Het is waarschijnlijk van mijn jongste zusje, die woont hier sinds kort in de stad. Ze is getrouwd met een molenaar."

Aagje trekt haar wenkbrauwen omhoog alsof ze het maar half gelooft.

„Dus het is voor jou bestemd?"

„Voor ons alledrie. Verwacht u dat er voor ú ook nog iets bezorgd wordt juffrouw Agatha? Dan moeten we de tuinpoort nog even open houden."

Bouke ziet en hoort veel in huis. Hij begrijpt drommels goed wat er zich afspeelt. Nooit laat hij daar iets van merken, hij verstopt zich achter een dom gezicht. Thuis, op de boerderij, worden de meeste dingen openlijk gezegd. Maar hier in de stad, in dit deftige huis, kun je je maar beter van de domme houden. Dat is het veiligste als je niet meer bent dan een knecht.

Aagje is woedend. De vlerk! denkt ze. Met moeite houdt ze haar gezicht in de plooi.

Feikje komt binnen. Ze ziet haar meesteres staan en schrikt. Zou juffrouw Roorda iets gezien hebben? Bouke ziet haar bange ogen en redt de situatie:

„Juffrouw Agatha staat net de speculaaspop te bewonderen die mijn zusje heeft laten bezorgen."

„Jouw eh... jouw zusje?" stamelt Feikje.

„Nou ja," zegt Bouke, „zeker weten doe je dat nooit. Maar wie anders zou ons zo verwennen?"

Aagje voelt de steek. Zijzelf heeft niet gezorgd dat er een tractatie was voor haar personeel, terwijl dat op een feest wel van haar verwacht mag worden. Even schaamt ze zich, dan wordt ze woedend. Hoe durft die boerenpummel haar hierop te wijzen? Hij staat daar maar met die domme lach op zijn gezicht. Maar intussen! Kwaad verdwijnt ze naar boven. Bouke grijnst:

„Gelukkig heb ik je speculaaspop weten te redden Feikje. Bijna was hij naar boven verdwenen."

Feikje lacht dankbaar.

„Vanavond krijg je een extra dik stuk."

6

Feikje krijgt die zondagmiddag een paar uurtjes vrij. Om een oude vrouw te bezoeken, heeft ze gezegd. Aagje vindt het wel goed. Zij gaat op bezoek bij Minke Douwes. Titia kan de thee voor papa wel boven brengen. Waar Marije 's zondags uithangt weet ze niet.

De muoike van Jorrit is een kleine, vriendelijke vrouw. Ze heeft een lief gezicht met appelwangetjes en een heleboel rimpels. Ze stelt Feikje meteen op haar gemak. Jorrit komt binnen. Hij heeft een man van een jaar of veertig bij zich.

„Dit is mijn neef Willem. Hij is schoolmeester," kondigt hij trots aan.

Ze drinken thee en dan zegt Jorrit: „Leg jij het maar uit, Willem."

De man knikt en steekt van wal.

„U was getrouwd met een man die Murk heette?"

„Ja."

„Hij is vijf jaar geleden ontsnapt uit het tuchthuis en vervolgens uit de stad verdwenen?"

Feikje knikt.

„Het is algemeen bekend dat zulke mensen liefst zo ver mogelijk weggaan. Heel vaak gebeurt het dat ze in dienst van de Compagnie treden, als matroos of als soldaat, en naar Oost-Indië vertrekken. Hoe verder van huis, des te minder kans dat ze opnieuw gepakt worden en dubbel straf krijgen. Begrijp je?"

Ja, Feikje kan het zich levendig voorstellen.

„Mensen die naar Oost-Indië gaan hopen daar fortuin te maken. Of allerlei avonturen te beleven. Zou uw eh... zou genoemde Murk daar ook voor gevoeld hebben?"

„O ja, vast wel. Hij was voor niets en niemand bang. Maar hij was huisknecht, geen soldaat en al helemaal geen matroos."

„Dat is voor de Compagnie geen bezwaar. Wie soldaat wil worden krijgt daarginds een opleiding."

Feikje is onder de indruk. Wat weet die man veel.

„Nu is het helaas wel zo," gaat Willem met een ernstig gezicht verder, „dat lang niet iedereen de reis overleeft. Ook in Batavië zelf sterven veel mensen. Er heersen daar ziektes waar wij Hollanders niet tegen bestand zijn, allerlei koortsen en kwalen van de ingewanden. Het zou dus mogelijk zijn dat Murk niet meer in leven is."

Opeens doorziet Feikje het. Haar ogen lichten op. Als Murk dood is, dan is voor haar en Jorrit de weg vrij. Meteen schaamt ze zich diep. Nu hoopt ze warempel dat haar vroegere echtgenoot de dood heeft gevonden. Ze slaat een hand voor haar mond van schrik. Jorrits muoike ziet het.

„Was hij een goeie man voor je, Feikje?"

„Nee, hij was nogal eens dronken en dan sloeg hij erop los."

„Sloeg hij jou ook?"

„Ja. En hij vocht ook dikwijls in de herberg."

„Geen wonder dat hij tenslotte in het tuchthuis terechtkwam."

Feikje knikt.

„En nu heeft hij zijn straf ontlopen," zegt muoike nadenkend. „Maar ier of let, God straft it kwea." *)

Feikje haalt opgelucht adem. God zal wel zorgen dat iedereen krijgt wat hem toekomt. Zíj hoeft alleen maar af te wachten.

„Gaan er echt zoveel mensen dood in Indië?" vraagt ze.

„Ze noemen dat land het kerkhof van Europa," zegt Willem. „Een enkeling heeft geluk, die komt als een schatrijk man weer terug."

„Maar hoe komen we er achter hoe het Murk is vergaan?" vraagt Feikje.

„Daar heeft Willem iets op bedacht," zegt Jorrit opgetogen, „hij wil voor ons een brief schrijven naar de Compagnie om navraag te doen."

Willem haalt zijn schrijfspullen tevoorschijn en begint. Met ontzag kijken de anderen naar de fraaie letters en de zwierige krullen. Zo'n brief zal daarginds zeker indruk maken.

Aan de Weled. Heren der Ver. Oost-Indische Compagnie.

Hierbij neem ik de vrijmoedigheid om navraag te doen naar iemand die vermoedelijk bij Ued. in dienst is getreden in het jaar...

*) Vroeg of laat, God straft het kwaad.

Vragend kijkt hij naar Feikje. Die denkt een poosje na.
„Zeventiendertig," zegt ze.
„Weet je het zeker? Het is nogal belangrijk."
„Ja, ik ben er zeker van. Onze Prins was toen nog geen stadhouder van Friesland, dat werd hij pas in het jaar daarna."
Willem knikt goedkeurend en schrijft verder.
De naam van deze man is Murk...
„Hoe nog meer?"
„Dirksz."
Feikje denkt terug aan die moeilijke jaren. Ze woonde samen met Murk in het koetshuis. Als hij 's nachts dronken thuiskwam, kon hij de smalle trap niet eens meer op. Beneden lag een oude stromatras, daar kon hij zijn roes uitslapen. Soms wenste ze wel dat hij met zijn beschonken kop in de gracht zou lopen om er niet meer uit te komen. Overdag ging het wel. Meneer Roorda was redelijk tevreden over zijn huisknecht. Soms moest Murk de zoon van de familie weghalen uit de herberg. Die jongen dronk ook veel te veel. IJsbrand, ze ziet hem nog vóór zich. Een knappe vent, met zijn blonde krullen en zijn diepblauwe ogen. Hij kon zijn handen niet thuishouden, ze moest altijd opletten als hij in de buurt was. Op een dag was er een schandaal. Hij had een vrouw zwanger gemaakt, maar wilde niet met haar trouwen. Toen stuurde zijn vader hem naar de Oost. Voor een paar jaar, werd er gezegd. Hij is nog steeds niet terug. Zou hij ook dood zijn? Geveld door een van die enge ziektes? Zijn naam wordt nooit meer genoemd. Ze zal Marije er een keer naar vragen.
Jorrits sterke knuist zoekt haar hand onder de tafel en houdt hem stevig vast. Ze wordt er warm van. Jorrit is een hartelijke vent, hij zal goed voor haar zorgen. Tenminste...
„Waar was Murk in dienst?" vraagt Willem.
„In het huis van meneer Roorda, de zilversmid."
„Als huisknecht?"
„En tuinman."
„Juist. Woonden jullie daar ook?"
„Ja, in het koetshuis. Moet dat er allemaal bij?"
„Als ik zo'n deftige man in mijn brief noem zullen ze eerder antwoord geven. Wanneer het alleen maar om een dienstbode of

een bakkersknecht gaat, nemen ze misschien niet eens de moeite om in hun registers te kijken.”

„Slim van je,” vindt Jorrit.

„Tja, jild makket alle doarren iepen. *) Zo is het nu eenmaal dus waarom zouden we daar ons voordeel niet mee doen?”

Rustig schrijft hij verder.

Hopende op uw antwoord verblijf ik met de meeste hoogachting,

Uw dienstwillige dienaar
Willem Haga,
Schoolmeester te Leeuwarden.

Hij strooit zand over zijn papier en leest de brief nog een keer hardop voor.

„Prachtig,” zegt Jorrit bewonderend, „waar stuur je die brief nou heen? Toch niet naar Batavia?”

„Welnee. Naar het Oost-Indisch Huis in Amsterdam.”

„Maar ch… [illegible] schrijft dat Murk uit het tuchthuis is ontsnapt,” zegt Feikje geschrokken, „moet dat er echt in?”

„Ik vind van wel,” vindt Willem.

Muoike schenkt nog een kom thee in.

„Ik hoop dat jullie gauw iets horen,” zegt ze hartelijk. „Kom intussen nog maar eens langs, Feikje, dat vind ik gezellig.”

In een opgewekte stemming komt Feikje thuis, waar ze meteen aan de slag kan voor de avondmaaltijd.

Aagje zoekt Minke Douwes op, de vriendin bij wie ze altijd de laatste nieuwtjes uit de stad hoort. Bij Minke kan ze ook al haar grieven kwijt.

„Dat personeel van tegenwoordig,” zucht ze, „je moet ze voortdurend in de gaten houden, anders lopen ze de kantjes eraf. En brutaal! Die huisknecht van ons toont geen enkel respect voor zijn meerderen. Papa wil hem niet ontslaan, want hij zorgt uitstekend voor de tuin. Maar manieren heeft hij absoluut niet, het lijkt wel

*) Geld opent alle deuren.

of hij niets heeft geleerd in al die jaren dat hij bij ons in dienst is."
Minke knikt.
„Ik weet er alles van. Bij ons is zelfs de kookster weggegaan. Haar vader kwam zeggen dat ze hier niet meer kon werken, omdat Hessel zijn handen niet thuis kon houden. Wat een affront! Stel je voor, Hessel. Zo'n lieve man."
Aagje is verbaasd. Heeft Minke dan nog steeds niet door dat Hessel een rokkenjager is? Ze kan zich heel goed voorstellen dat die lieve man van Minke achter een aardige dienstbode aanzit. Maar het is háár taak niet om Minke de ogen te openen. Ze komt er vanzelf achter. Of niet.
Aagje neemt een stukje koek van haar schoteltje en proeft bedachtzaam. Intussen bedenkt ze een diplomatiek antwoord.
„Och ja, die mensen durven alles te zeggen. Heb je al een andere kookster gevonden?"
„Ja, we hadden geluk. Er kwam een wat oudere vrouw op de betrekking af. Ze is kortgeleden van Harlingen naar hier verhuisd, omdat haar man werk kon vinden in de wolkammerij. Ik moet je zeggen dat ze prima kookt. Vooral vis kan ze heel goed bereiden."
„Geen wonder als je van de zeekant komt," glimlacht Aagje.
Minke keuvelt verder. Aagje is er niet met haar volle aandacht bij. Hoort ze daar de klopper op de voordeur? Het is zondagmiddag, het tijdstip waarop mensen hun familie opzoeken. Het is niet ondenkbaar dat Minkes neef onverwachts verschijnt. Jonker Jacob van Hasselaer...
„...en daardoor is die koopman nu failliet gegaan," klinkt de verontwaardigde stem van Minke. „Stel je voor, bestolen en bedrogen door je eigen broer!"
Aagje schudt meewarig haar hoofd, al weet ze niet over wie het gaat.
„Het is toch treurig. Je eigen familie," praat ze mee.
Wat weet Minke toch altijd veel nieuwtjes. Half Leeuwarden komt langs.
„O ja, dat heb je vast nog niet gehoord," ratelt Minke verder, „Janneke Walta heeft zich ook verloofd."
Daar kijkt Aagje van op. Janneke? Die is al bijna dertig en bepaald niet aantrekkelijk. Wie wil haar nou? Ze herinnert zich

hoe Janneke op haar feest kwam, in een prachtige jurk, die ze niet wist te dragen.

„En raad eens met wie?"

„Ik zou het niet weten."

„Met mijn neef Jacob."

Aagje schiet overeind.

„Wát? Dat meen je niet."

Ze lijkt op haar stoel te bevriezen. Dit kan niet, dit moet een vergissing zijn. Die charmante jonker met zo'n saaie lijs?

„Ze passen goed bij elkaar," vindt Minke. „Geen van beiden zijn ze zo jong meer. Janneke is een aardige vrouw. En flink ook."

Het is of Aagje door de vloer zakt. Het is geen misverstand, het is werkelijkheid. De jonker heeft zijn oog op een ander laten vallen. Op iemand waar zíj alleen maar meewarig naar kon kijken, maar die nu opeens een begeerde vrouw blijkt te zijn. Terwijl zij, Aagje...

Ze forceert een krampachtige glimlach. Want nooit mag iemand vermoeden dat zij zo onder de indruk was van de jonker. Zeker Minke niet! Het zou binnenkort in de hele stad bekend zijn.

„Wat leuk voor Janneke," zegt ze stijfjes. „Niemand had toch verwacht dat ze nog eens een echtgenoot zou vinden."

„Je kunt beter zeggen dat Jacob háár gevonden heeft. Van meet af aan was hij van haar onder de indruk."

Dat is niet waar, denkt Aagje, terwijl ze zich zijn afscheid in herinnering brengt. Zijn ogen spraken een duidelijke taal en zijn compliment loog er niet om. Heeft hij daar dan niets mee bedoeld? Was het maar een spelletje? Heeft ze zich zo in die man vergist?

Er kruipt een woede in haar omhoog die ze maar ternauwernood kan verbergen. Ze voelt zich bedrogen. Voor de mal gehouden door die jonker met zijn donkere ogen.

„Wil je nog een kopje thee?" vraagt Minke.

„Nee, dank je. Ik wil niet te laat thuis zijn want Feikje heeft vanmiddag vrijaf."

„Neem dan in ieder geval nog iets van de confitures."

Met moeite krijgt Aagje het lekkers door haar keel. Zo gauw de beleefdheid het toelaat neemt ze afscheid. Met korte, driftige stappen loopt ze naar huis. Ze ziet niets en niemand onderweg. De woorden van Minke weergalmen door haar hoofd. 'Van meet af aan was hij onder de indruk.' Dus... het is tussen die twee begonnen op háár feest. Had ze van Hasselaer maar nooit uitgenodigd. Die misselijke vent, die leugenachtige vleier. Háár verjaardagsfeest heeft hij gebruikt om aan te pappen met die kleurloze Janneke.

Ze komt bij haar eigen huis en laat de klopper op de deur vallen. Ongeduldig wacht ze. Wat duurt dat lang. Eindelijk wordt er opengedaan.

„Goedenmiddag juffrouw Agatha," zegt Bouke verschrikt, „ik had niet verwacht dat u al zo vroeg terug zou zijn."

„Wat jij verwacht had is niet belangrijk," snauwt Aagje. „Waarom moest ik zo lang wachten voor je opendeed?"

„Ik heb eerst mijn handen gewassen, zoals u mij hebt opgedragen."

„Je had toch niet in de tuin gewerkt? Het is vandaag zondag."

„Ik heb niet in de tuin gewerkt, juffrouw Agatha. Zal ik dan nu uw mantel ophangen?"

Argwanend kijkt ze hem aan. Houdt hij haar voor de mal?

„Ik doe het zelf wel," snauwt ze. „Waarom is Feikje er niet?"

„Die heeft vanmiddag vrijaf."

„Dat is waar ook. Nou, je kunt wel weer gaan. En laat me in het vervolg niet meer zo lang wachten."

Haar boze stem klinkt door het hele huis.

„Nee juffrouw Agatha," zegt Bouke.

Bedaard gaat hij de trap af naar het souterrain. Aan de keukentafel zit Titia bonen uit te zoeken.

„Is het weer mis?"

Hij grijnst.

„De wyn is wer noard." *)

Marije heeft die zondag haar vriendinnenmiddag. Ze zijn met z'n allen te gast bij Remke, die met haar ouders en vier broers in een ruim huis aan de Turfmarkt woont. De grote kamer is vol gepraat

*) De wind is weer noord = het humeur is weer slecht.

en gezelligheid. Ze zingen samen, en voeren een toneelstukje op. Remkes broers doen van harte mee. De dienstbode brengt schalen met soesjes en stukken koek. Uit een grote ketel schenkt ze chocolademelk. Dan komen de verhalen. Saakje heeft iets engs meegemaakt. Hoewel, het is ook spannend:

„Er is een zwerver bij ons door de achterpoort naar binnen gekomen en toen hij niemand in de keuken zag heeft hij een brood en een halve ham gepakt. Op dat moment kwam de keukenmeid binnen. Ze begon te gillen, zodat die zwerver subiet de benen nam. Het brood viel op de grond, maar de ham nam hij mee. Gelukkig vonden we die later terug tussen de struiken."

„Lekker zeg!"

„Och, we hielden hem onder de pomp. Het personeel kan er nog best van eten."

Eén van de jongedames, die graag streken uithaalt, is met een vriendin naar de Waag geweest. Daar heeft ze gevraagd of ze gewogen mocht worden.

„Jij durft."

„Het mocht vast niet."

„Ja hoor, de waagmeester vond het goed."

„En?"

„Honderdzevenentwintig pond."

Marije geniet met volle teugen. Wat een verschil met thuis, waar het zo benauwend stil kan zijn en waar nooit gelachen wordt. Ze schrikt op omdat Remke haar iets gevraagd heeft.

„Wat zei je?"

„Hoe gaat het nu met Dieuwertje? We hebben haar al een paar weken gemist op de zang."

„Dieuwertje is erg ziek geweest," antwoordt Marije. „Met Sint Nicolaas was ze voor 't eerst een uurtje op. Maar de volgende dag had ze weer koorts."

„Wat duurt dat lang. Is de dokter erbij geweest?"

„Ja, één keer. Maar die kon niet zo veel doen. Dieuwertje moet versterkende middelen gebruiken en veel rusten. Gelukkig weet de moeder van Jan Anne goed raad."

„Vrouw Gerbrandy?"

„Ja. Ze heeft een plank vol huismiddeltjes."

„Hoe komt ze daaraan?"
„Van een apotheker uit Franeker. Toen zij en Jan Anne nog in Harlingen woonden, hielp ze heel wat mensen van hun kwaaltjes af."
„Kom jij nog regelmatig bij Dieuwertje?"
„Ja, als vrouw Gerbrandy niet kan komen dan zorg ik voor de maaltijd, en pas ik op Sjoerd."
Eén van de meisjes zegt:
„Vrouw Gerbrandy heeft toch ook haar bontwinkel? Kan ze dat er allemaal bij doen?"
„O ja, ze doet de winkel 's middags dicht."
„Dat klopt," lacht een van de vriendinnen. „Ik kwam er de afgelopen week om de bontmof van mijn moeder op te halen. Die was gerepareerd. Er hing een briefje aan de winkeldeur. Wegens familieomstandigheden alleen 's ochtends geopend."
„Dieuwertje boft maar met zo'n schoonmoeder."
„Ja, het is een fijne vrouw, ik heb veel respect voor haar," zegt Marije.
„Denk je dat Dieuwertje bezoek kan ontvangen?"
„Vast wel. Ze mist jullie verschrikkelijk."
Ze doen nog een paar spelletjes kaart. Dan is het de hoogste tijd om naar huis te gaan. Buiten schemert het al. Remkes jongste broer biedt aan om Marije thuis te brengen. Ze wimpelt hem lachend af.
„Breng Janke maar thuis, die vindt dat vast wel gezellig."
Janke is de jongste van het gezelschap. Ze krijgt een vuurrode kleur. Aarzelend biedt de jongen haar zijn geleide aan.
„Wij kunnen wel samen oplopen," zegt Saakje tegen Marije.
Maar nauwelijks zijn ze buiten of Saakje moet haar nieuwtje kwijt:
„Ik wou het in de grote kring niet vertellen, maar die bontnaaister uit de Sacramentsstraat is ook niet zo'n beste."
Verbaasd kijkt Marije haar aan. Wat zou er mankeren aan moeder Janna, zoals ze haar tegenwoordig noemt. Ze neemt een groot deel van Dieuwertjes huishouden op haar schouders, ze is een lieve grootmoeder voor Sjoerd en ze geeft alle hulp die mogelijk is met haar medicijnen. Marije vermoedt dat ze deze weken min-

der verdiensten uit haar bontwinkel heeft. Maar daar zal ze met geen woord over reppen.

„Vrouw Gerbrandy is deugdlik," zegt ze kortaf.

„Dan weet jíj niet wat er vroeger gebeurd is, toen ze nog in Harlingen woonde," dramt Saakje door.

Marije haalt haar schouders op. Harlingen interessert haar niet.

„Dat zal ik je vertellen," gaat Saakje verder. „Vlak vóór haar zoon geboren werd is ze hals over kop met een timmerman getrouwd. En als ze dat niet gedaan had, dan was ze in het hondegat *) terechtgekomen."

Marije schrikt ervan. Vrouwen die niet getrouwd zijn maar wel een kind krijgen, worden streng gestraft. Meestal worden ze veroordeeld tot een paar jaar spinhuis, terwijl het kind in een weeshuis wordt ondergebracht. Haar hele verdere leven wordt zo'n vrouw met de nek aangekeken, nooit kan ze meer met opgeheven hoofd over straat gaan. En zou moeder Janna zo iemand zijn?

„Dat bestáát niet Saakje."

„Toch is het zo. Ik heb het gehoord van iemand die uit Harlingen komt."

„Ik geloof er niks van. Je moest die gemene praatjes liever vóór je houden. Ik ga hier rechtsaf. Gegroet Saakje!"

Kwaad loopt Marije verder. Haar plezierige stemming is verdwenen. Hoe komt Saakje erbij? Die Gerbrandy was gewoon de vader van Jan Anne. Tenminste, dat zegt Jan Anne altijd. 'Mijn vader was timmerman'. Ze gelooft hem. En als het anders is? Dan is het al dertig jaar geleden, een heel mensenleven. Nee, ze wil niet langer aan die lasterpraat denken. Moeder Janna is een fijne vrouw, op wie ze erg gesteld is. Waarom sommige mensen er zo'n genoegen in scheppen om dit soort roddels rond te strooien? Ze snapt het niet. Voorlopig zal ze Saakje op een afstand houden.

Marije kijkt nauwelijks waar ze loopt, ze is vol verontwaardigde gedachten. Ze hoort de snelle voetstappen in het zijstraatje niet. Plotseling vliegt er iemand tegen haar op. Het komt zo onverwacht dat ze valt. Geschrokken kijkt ze omhoog. Wil

*) kerker onder het stadhuis.

iemand haar kwaad doen? Dan herkent ze hem. Het is de jongste knecht van haar vader.

„Folkert!"

„Juffrouw Marije! Wat erg nou dat ik u ondersteboven liep. Hebt u zich pijn gedaan?"

Voorzichtig helpt hij haar overeind.

„Nee hoor, maar je maakte me wel aan het schrikken."

Ze ziet zwarte vegen op zijn gezicht en een gezwollen rode plek aan zijn voorhoofd. Zijn haar komt in wanordelijke pieken onder zijn muts vandaan. In zijn jas zit een scheur.

„Folkert, wat is er gebeurd? Heb je gevochten?"

„Nee, veel erger. We hebben brand gehad in ons huis."

Ontzet kijkt ze hem aan. Brand!

„En? Hoe is dat afgelopen?"

„Alles is fuort." *)

De tranen schieten hem in de ogen.

„O, wat verschrikkelijk, Folkert."

Marije denkt aan het huisje in de Boterbuurt. Ze is er wel eens geweest. Het was er vol met kleine kinderen, ze weet niet eens hoe veel 't er waren.

„En nu? Waar zijn je broertjes en zusjes?"

„Samen met mem naar een tante. Heit en ik en een buurman kijken of er spullen zijn overgebleven die we weer gebruiken kunnen. Ik was juist op weg om nog een vriend van heit op te halen."

Verslagen kijkt ze hem aan.

„Kan ik iets voor je doen?"

Er breekt een flauwe glimlach door op zijn beroete gezicht.

„Nee hoor juffrouw Marije. Gaat u maar gauw naar huis, het wordt al donker. Zal ik u even thuisbrengen?"

„Ben je mal, ik ben er bijna."

„Hebt u zich echt geen pijn gedaan?"

„Nee hoor."

Marije loopt verder. Haar elleboog doet wel pijn, maar dat hoeft Folkert niet te weten. Ze denkt aan het berooide gezin. Arm waren die mensen toch al. Maar nu is alles weg. Ze kan het zich bijna

*) verloren

niet voorstellen. In gedachten ziet ze Folkert en zijn vader in het uitgebrande huis rondscharrelen, op zoek naar zwartgeblakerde resten van het meubilair. Die goeie Folkert. Wilde haar ook nog thuisbrengen. Net zoals hij vroeger deed, toen ze op dezelfde tekenles zaten. Twaalf jaar was ze, en Folkert veertien. Na afloop bracht hij haar altijd naar huis, als een trouwe ridder. Hij stond erop dat hij haar tekenmap droeg. Het mandje met tekengerei mocht ze zelf nog dragen. Marije loopt glimlachend over het tegelpad en doet de keukendeur open.

„Juffrouw Marije, wat is er gebeurd?"

Verdwaasd kijkt ze Feikje aan. Er is vanmiddag zo veel gebeurd!

„Uw kleren zitten onder de modder."

„O dat," lacht Marije. „Ik ben door iemand omver gelopen. Het heeft niets te betekenen."

Ze trekt haar mantel uit. Feikje neemt hem aan en zegt:

„Voor u aan tafel gaat kunt u maar beter uw gezicht wassen en uw handen."

Ja, denkt Marije, terwijl ze in haar kamer staat en het water uit de lampetkan in de kom giet, anders zou mijn zuster weer aanmerkingen maken over mijn uiterlijk. Vandaag heb ik daar geen zin in.

Ze borstelt uitvoerig haar blonde haren en zet een schoon kanten mutsje op. Aan tafel is ze stil en afwezig. Wiardus ziet de nadenkende rimpel boven haar neus.

„Was het gezellig met je vriendinnen Marije?"

Ze moet van ver terugkomen, de middag lijkt lang geleden.

„Ja, we hebben heerlijk gezongen en veel plezier gemaakt. Na afloop wilde het broertje van Remke mij thuisbrengen. Ik zei dat hij beter met Janke mee op kon lopen."

Ze glimlacht ondeugend.

„En waarover moest je daareven zo diep nadenken?"

„O papa, ik kwam Folkert tegen. Hun huis is uitgebrand."

Wiardus legt zijn vork neer.

„Vertel me alles wat je ervan weet."

Marije doet haar verhaal.

„Kunnen we iets voor hem doen papa?"

„Op dit moment niet. Maar ik zal er over nadenken."
Zwijgend eten ze verder.

Aagje is blij dat de beide anderen niet op haar letten. Ze wordt overspoeld door allerlei verwarde gevoelens. Vooral woede en een diepe pijn omdat jonker Jacob de voorkeur gaf aan een ander. Terwijl zij...

Thuisgekomen heeft ze Bouke afgesnauwd, hoewel hij eigenlijk niets verkeerd had gedaan. Toen ze een half uurtje later door de hal liep hoorde ze zijn zware stem duidelijk zeggen:

„In boaze fekke is it, krekt har mem." *)

Geschrokken is ze naar de salon gevlucht. Is dat zo? Is zíj een boze feeks? En was mama net zo? Het staat haar opeens helder voor ogen hoe haar moeder ook om het minste of geringste uit kon varen tegen het personeel. Wordt zij net als haar moeder? Soms lijkt het wel zo. Er kruipt een brok schaamte in Aagje omhoog. Ze is niet degene die ze graag wil zijn: de lieve charmante jonge vrouw die door iedereen geprezen wordt. Ze zit vol ergernis over anderen, en dan... ja dan doet ze hetzelfde als mama, ze is scherp tegen het personeel. En ook tegen Marije.

Aagjes woede zakt weg. Allerlei verwarrende vragen spoken door haar hoofd. Heeft van Hasselaer toneel gespeeld op haar feest? Dat moet wel, hij meende immers niets van zijn vleierij. Hij was trouwens niet de enige die zich anders voordeed dan hij in werkelijkheid was. Ze denkt aan Hessel, die zo lief deed tegen Minke, terwijl hij haar om de haverklap bedriegt. En Wiebe Camminga, met zijn ijdele gezwets. Wat gaat er werkelijk in die man om? Heel haar feest leek wel een maskerade. En iedereen deed mee. Nee, toch niet. Eelco en Joukje, die gingen rustig en zelfbewust hun gang. Zulke mensen zijn er ook. Mensen om jaloers op te zijn.

Aagje krijgt een hekel aan zichzelf. Ook zij speelt toneel. Ze doet zich beminnelijk voor, maar ze is een feeks, een nijdig mens die zomaar uit haar slof schiet. Ze had gedacht dat het personeel respect voor haar had, maar ze heeft vanmiddag begrepen dat er

*) Een boze feeks is het, net haar moeder.

vooral angst is. Angst om hun betrekking kwijt te raken. Daarom doen ze zo onderdanig, zowel Feikje als Bouke. Ook die twee spelen toneel. Ze doen hun plicht zo goed mogelijk. Maar ze zijn niet op haar gesteld, integendeel. Een fekke! Is er trouwens wel iemand die om haar geeft? Iemand die haar echt nodig heeft?

Aan tafel volgt ze zwijgend het gesprek tussen Marije en haar vader. Ze ziet opeens dat haar zusje hier niet het speelse kind is dat de huisregels aan haar laars lapt. Nee, hier is Marije een volwassen vrouw, die zoekt naar een manier om een ander te helpen. Het raakt Aagje. Tegelijk doet het haar pijn, omdat ze zelf niet zo is. Ze vindt het moeilijk om haar aandacht aan anderen te geven.

's Avonds is ze vriendelijk tegen Feikje.

„Zet de thee maar hier op tafel. Heb je een prettige middag gehad? Je ging iemand opzoeken, geloof ik?"

„Ja juffrouw Agatha, ik ging naar een oudere vrouw. Het was heel gezellig, ze vroeg of ik nog eens terug kwam."

„Dat moet je zeker doen."

Verbaasd loopt Feikje naar beneden.

„Dat rint glêd fan e tried!" *) mompelt ze. „Juffrouw Agatha moest eens weten!"

Die nacht heeft Aagje weer dezelfde droom. Ze dwaalt rond in het grote huis dat wel haar eigendom is maar waar ze zich toch vreemd voelt. Deze keer is er geen mens te bekennen, ze is helemaal alleen. Ze loopt van de ene kamer naar de andere en kijkt speurend rond. Heeft iedereen haar in de steek gelaten? Nergens klinkt gepraat of gelach, het is beklemmend stil. Ze blijft zoeken, gaat trappen op en af, passeert balzalen, intieme bouidoirs en salons met goudbehang. Ze krijgt het steeds benauwder en voelt zich als een klein kind, angstig en verloren. Weg wil ze, uit dit spookhuis vandaan. In paniek zoekt ze naar een uitgang, een deur naar buiten. Die is echter nergens te vinden. Na eindeloos ronddolen ziet ze aan het einde van een lange marmeren gang iemand staan. Een stille vrouwenfiguur bij een grote voordeur. Haastig loopt ze er naar toe. De vrouw keert zich om. Ze ziet dat het Marije is.

*) Dat gaat van een leien dakje.

Aagje wordt wakker. De beklemming van haar droom is er nog. Slapen wil ze nu niet. Ze ligt te piekeren over dat akelige huis. Waarom was ze daar weer? En wat zou die droom betekenen? Heeft het te maken met gisteren, toen ze zich zo ontredderd voelde, zo in de steek gelaten? Jonker Jacob heeft haar misleid met zijn vurige blikken en zijn uitbundige complimenten, hij heeft haar eigenlijk minachtend aan de kant geschoven, ze betekent niets voor hem. Maar ze heeft toch genoeg vrienden over? Of spelen die ook maar een spelletje met haar? Geven ze wel echt om haar, zijn ze graag in haar gezelschap?

Buiten hoort ze een sleperskar. Die voerman is al vroeg aan het werk. Zelf kan ze nog uren in bed blijven liggen als ze dat wil. En dan? Hoe vult ze haar dagen? O ja, ze bestuurt het huishouden. Echt moeilijk is dat niet, ze doet het al zoveel jaren. Moet ze de rest van haar leven op deze manier doorbrengen?

Ze denkt aan haar vriendinnen. De meeste hebben de zorg voor man en kinderen. Wie dat niet heeft blijft achter in een soort eenzaamheid. Had ze dan toch in moeten gaan op de avances van die rijke koopman, een paar weken geleden? Nee, die man wilde ze echt niet.

Aagje staat op, kleedt zich aan en gebruikt het ontbijt tegelijk met haar vader. Als hij van tafel opstaat zegt ze:

„Ik hoop dat u prettig kunt werken papa."

„Jij ook een fijne dag gewenst Aagje. Wat ga je doen?"

„Er ligt nog een brief aan IJsbrand, die wil ik afmaken."

„Uitstekend. Hij moet weten dat we hem niet vergeten, ook al laat hij zelden iets van zich horen."

Aagje gaat aan het werk in de groene kamer. Ze drinkt haar koffie samen met Marije.

„Aan wie zit je te schrijven?"

„Aan IJsbrand."

„O fijn. Ik zal er ook een brief bij voegen. En papa heeft al twee weken een epistel klaar liggen. Denk je dat IJsbrand ons vorige pakket ontvangen heeft?"

„Dat kan nog niet, de post is een half jaar onderweg."

„Wat is Indië toch ver. Ik zou daar best eens willen kijken."

„Jij? Wil je IJsbrand soms opzoeken?"

„Dat ook. Maar het is zo'n bijzonder land, ik zou alles willen zien. De bergen en de bossen, al die gekleurde mensen, de bloemen met hun felle kleuren."

„Je zou de hele dag zitten tekenen," glimlacht Aagje.

7

Diep in gedachten loopt Wiardus naar zijn werkplaats. Dus Aagje gaat een brief aan haar broer schrijven. IJsbrand... Altijd doet het weer pijn als hij aan hem denkt. Heeft hij juist gehandeld toen hij hem wegstuurde? Er was geen keus, hier in Leeuwarden was de jongen hard op weg naar zijn ondergang. Zeker drie keer per week moest Murk hem uit de herberg halen en thuisbrengen, omdat hij met zijn zatte kop zelf de weg naar huis niet meer kon vinden. IJsbrand maakte schulden en zat achter de vrouwen aan. Met afgrijzen denkt Wiardus aan de dag waarop één van die vrouwen zwanger was en beweerde dat IJsbrand de vader was. Hij heeft haar af weten te kopen en meteen maatregelen getroffen om zijn zoon naar Indië te sturen. Of het geholpen heeft? Hij heeft begrepen dat IJsbrand zijn losbandige leven gewoon heeft voortgezet.

Kon hij de jongen maar terughalen naar Leeuwarden. Hoewel, jongen? Hij is allang een volwassen man. Zesentwintig jaar! In Indië worden de meeste Hollanders niet zo oud. Het klimaat is slopend en er heersen heel onaangename ziektes.

Wiardus is bij zijn werkplaats aangekomen. Hij zoekt zijn sleutels, maakt de deur open en gaat naar binnen. De gedachten aan IJsbrand zet hij opzij, nu moet er gewerkt worden. Hij overziet de smederij. De ovens, de beroete balken, de werkbanken en de rekken met gereedschap. Dit is zijn domein, de plek waar hij altijd gelukkig is geweest. Honderden kunstige voorwerpen heeft hij gemaakt. Zijn creatieve geest heeft hij hier ontplooid, glanzende nieuwe dingen zijn tot stand gekomen. Wat houdt hij van zijn werk en wat is hij graag in deze werkplaats. Liever nog dan in zijn mooie huis.

Vóór het werk begint moet er iets anders gebeuren. Folkert! Waar blijft de jongen? Nooit is hij te laat. Maar vandaag is alles anders voor zijn jongste knecht. Hijgend komt hij de smederij binnen.

„Het spijt me meester, dat ik zo laat ben. Maar..."

„Ik weet het Folkert. Vertel me hoe jullie het nu redden."

„We zijn bij een tante ingetrokken."

„Had die dan ruimte over?"
„Niet veel meester. Mijn broertjes en zusjes sliepen met z'n allen in de bedstee."
„En jij?"
„Op een deken bij de haard."
Wiardus ziet de vermoeide ogen in het magere jongensgezicht. Hij weet genoeg.
„Ik zal kijken wat ik kan doen. Ga nu maar aan je werk."
Zodra de torenklok twaalf slaat legt Wiardus zijn gereedschap neer. Hij wandelt naar huis, gaat naar zijn comptoir en laat Bouke bij zich komen.
„Wat is er van uw dienst meneer?"
„Bouke, hoe is het koetshuis ingericht? Ik bedoel de bovenverdieping, waar je woont."
„Heel goed meneer, ik heb niks te klagen."
Wiardus glimlacht.
„Gelukkig maar. Er zijn twee kamertjes?"
„Ja meneer."
„En jij gebruikt ze allebei?"
„Eigenlijk niet meneer. Op het ene kamertje staat mijn bed en een kast. Die andere kamer is bijna leeg."
„Juist ja. Daar komt dan vandaag of morgen iemand bij."
Bouke kijkt verbaasd. Wie mag dat wezen?
„Er komt een knecht wonen."
„Nóg een knecht?" schrikt Bouke. „Bent u niet tevreden over mij?"
Wiardus lacht. Hij kan zich geen betere en meer toegewijde huisknecht wensen. Al weet hij dat Aagje er anders over denkt.
„Ik ben heel tevreden over je, Bouke. Je doet je werk uitstekend. Maar ik bedoel mijn jongste knecht uit de smederij, Folkert."
Bouke knikt. Hij heeft Folkert vaak ontmoet wanneer die een boodschap kwam brengen.
„Het huis van Folkerts familie is gisteren uitgebrand. De jongen kan voorlopig bij ons onderdak."
„Ja meneer."
„Ik schrijf een briefje voor de timmerman, dat die een bed neerzet op dat tweede kamertje. Je mag het zo dadelijk wegbrengen. En

dan wil ik graag dat je Feikje helpt om het verder in orde te maken. Een stromatras en dekens. En, nou ja, dat weet Feikje wel."
„Goed meneer."
„Stuur Feikje even naar me toe."
Bouke verdwijnt. Wiardus ziet de waarderende blik in de ogen van zijn huisknecht. Bouke merkt dat hij zorg heeft voor zijn personeel. Toch beseft Wiardus terdege dat hij ook uit eigenbelang handelt. Folkert kan zijn werk alleen maar goed doen als hij voldoende is uitgerust en ook…
„U had naar mij gevraagd?"
„Feikje, we krijgen er een huisgenoot bij."
„Ja meneer."
„Het is Folkert."
Ze kijkt verrast op.
„Hij trekt bij Bouke in. Het koetshuis is ruim genoeg. Je mag het samen met Bouke in orde maken."
„Het komt voor elkaar meneer."
„Over één ding maak ik me wel bezorgd."
Vragend kijkt ze hem aan.
„De jongen is zo verschrikkelijk mager."
Feikje ziet opeens de glimlichtjes in Wiardus' ogen.
„Daar zullen we iets aan doen meneer," lacht ze.
„Ik reken op jullie."

Janna Gerbrandy krijgt al vroeg op de maandagmorgen een klant in haar winkel. Het is de dienstbode van een rijke familie die aan de Eewal woont.
„Ik kom de bontmuts van mevrouw brengen. Er zijn een paar naden losgeschoten. Of u die herstellen wilt."
Janna bekijkt de muts aan alle kanten.
„Ik zie het al. Er moet nog meer gebeuren. Kijk, hier is de voering versleten, daar zal ik een nieuw stukje in moeten zetten."
„Mevrouw wil dat hij morgen klaar is."
„Dat kan ik niet beloven. Zeg maar dat het meer werk is dan zij had verwacht."
„Mevrouw gaat morgen uit en dan wil ze de muts dragen," dringt de dienstbode aan.

„Ik zal mijn best doen. Gaat ze in de middag uit?"
„Ja, ik geloof bij iemand op de thee."
„Kom morgen rondom het middaguur maar eens vragen."
Janna loopt met de muts naar de keuken, steekt een lamp aan en begint meteen aan het verstelwerk. Niet vanwege de deftige dame. Janna vermoedt dat die nog wel meer mutsen heeft. Maar vooral vanwege de dienstbode. Die zou zich het ongenoegen van haar mevrouw op de hals halen omdat een reparatie niet op tijd klaar is. Janna benijdt ze niet, die booien. Dag en nacht moeten ze klaar staan voor hun opdrachtgevers en daarbij verdienen ze bar weinig.
Opnieuw gaat het winkelbelletje. Janna legt haar werk neer en loopt naar voren.
„Marije! Jij bent vroeg op pad."
„Ja, ziet u, ik ben gisteren gevallen. En nu heb ik last van mijn elleboog, het lijkt wel of het steeds erger wordt."
„Kom in de keuken, dan zal ik er naar kijken. Hoe is het gekomen?"
Marije vertelt over haar aanvaring met Folkert. Janna laat haar op een krukje zitten en onderzoekt de arm.
„Zou je het erg vinden om de japon uit te doen?"
Marije lacht. Moeder Janna is haar zo vertrouwd geworden de laatste weken. Als ze haar arm uit de mouw haalt bijt ze op haar tanden van de pijn. Janna ziet het. Ze onderzoekt de elleboog, duwt op de gezwollen plekken en vraagt Marije of ze haar arm wil buigen en strekken.
„Ik heb een zalf voor je. Met een dag of wat zal het wel over zijn."
Daar gaat de winkelbel alweer. Eerst legt Janna een warme doek om Marijes schouders, dan gaat ze naar de winkel. Marije ziet de bontmuts op tafel liggen.
„Ik hou u maar van uw werk," zegt ze als Janna terugkomt.
„Maak je geen zorgen. Die muts kan wachten."
Ze haalt een potje met zalf van haar plank en begint de pijnlijke elleboog voorzichtig te masseren. Dan windt ze er een reep linnen omheen.
„Ziezo, zal ik je helpen met je japon?"

„O nee hoor, dat hoeft niet."
Marije zoekt haar mantel.
„Heb je zo'n haast? Geen tijd voor een kopje koffie?"
„Hmm, heerlijk. Zal ik het maken?"
„Gun die arm van je liever wat rust, des te eerder is hij beter."
Janna hangt een ketel met water boven het vuur en neemt haar verstelwerk weer ter hand.
„Vertel eens precies wat er met Folkert was."
„Hun hele woning is uitgebrand. Vreselijk, vindt u niet? Alles is verloren gegaan. Ik heb het aan papa verteld, hij zal vast wel iets bedenken om die mensen te helpen."
Janna glimlacht. Marije heeft een onbeperkt vertrouwen in haar vader. Niet ten onrechte. Het is bekend in de stad dat Wiardus Roorda vaak te hulp schiet als er mensen in nood zitten. Hij laat zich daar niet op voorstaan, hij vindt het gewoon zijn plicht. Even vanzelfsprekend is Marije komen helpen in het gezin van Dieuwertje en Jan Anne, denkt Janna.
„Toen ik thuiskwam na die botsing met Folkert, zag Feikje dat ik helemaal onder de modder zat. Ik ben me gauw gaan wassen vóór we aan tafel gingen. Anders was Aagje waarschijnlijk van haar stoel gerold van de schrik. Ze is altijd zo vreselijk netjes."
„Zou jij dan met zwarte handen aan tafel willen zitten?"
„Nee, dat niet. Maar je moet het niet overdrijven."
Janna kent Aagje wel. Ooit is ze in haar winkel geweest om een bontmof te kopen. Janna vond haar nogal uit de hoogte doen. Aagje is ook degene die Dieuwertje min of meer de rug heeft toegekeerd, na een jarenlange vriendschap. Zou ze Dieuwertje te min vinden? Het doet Janna zeer. Dieuwertje, die zelf zo hartelijk is, heeft nooit begrepen waarom Aagje haar liet schieten. Janna vermoedt dat het begonnen is nadat Dieuwertjes vader was overleden. Moeder Jitske kon het hoofd nauwelijks boven water houden, ook al ging Johannes in de bierbrouwerij werken. In die tijd hebben zij en Jan Anne het gezin Douma leren kennen. Janna heeft respect voor de manier waarop de Douma's zich erdoor geslagen hebben. Johannes en Jan Anne werden vrienden. En weldra hadden Dieuwertje en Jan Anne elkaar ook gevonden. Janna is blij met haar schoondochter. Een goede vrouw voor Jan

Anne is ze, en een lieve moeder voor Sjoerd. Aagje liet zich niet meer zien, maar nu is Marije er. Gelukkig maar, denkt Janna, daar heeft Dieuwertje veel meer aan. Want Aagje? Zolang Dieuwertje ziek was heeft die bijna nooit iets van zich laten horen. Wat heeft Wiardus toch twee totaal verschillende dochters!

Het water kookt. Janna zet koffie. Marije snuift de geur op.

„U verwent me, moeder Janna. Koffie zo vroeg in de ochtend."

„Ik vind het ook zo gezellig dat je er bent. Hoe gaat het met je glasgraveren?"

„Fijn. Ik ben met een vlinder bezig. Het ontwerp moest ik wel drie keer opnieuw tekenen, ik heb een heel strenge leraar."

„Gelukkig maar."

Even kijkt Marije verbaasd op. Dan lacht ze.

„Natuurlijk, u hebt gelijk. Aan broddelwerk hebben we niks."

„Denk je dat je met die elleboog kunt graveren?"

„O ja. Tenminste..."

Marije buigt en strekt haar arm.

„Ik kan beter wachten. Er hoeft maar één streepje mis te gaan en mijn hele glas is bedorven. Dan heeft papa het makkelijker. Alles wat mislukt kan zo weer in de smeltoven."

Janna lacht ondeugend.

„Gebeurt dat vaak?"

„Ik zal er eens naar vragen. Papa zal 't thuis nooit vertellen wanneer er fouten zijn gemaakt."

„Hoe gáát 't met je vader?"

„Goed, al is hij 's avonds vreselijk moe. Maar hij maakt zulke prachtige dingen! Laatst nam hij een geboortelepel mee naar huis om aan ons te laten zien. Schitterend was die."

„Ja ja, jullie Roorda's zijn echte kunstenaars, jij en je vader."

„O, maar Jan Anne is ook een kunstenaar. Dat houtsnijwerk aan die wieg! En het portretje dat hij van Sjoerd tekende. Weet u dat Jan Anne het aan mij gegeven heeft?"

Janna knikt.

„We hebben er een lijst om gedaan. Het hangt boven de schouw. Papa vindt het ook prachtig, hij staat er vaak naar te kijken."

Pas als Marije naar huis loopt schieten haar de roddels van Saakje weer te binnen. Dus moeder Janna zou niet deugen?

Mallepraat! Een fijn en hoogstaand mens is het. Saakje moet haar mond houden.

Bij de avondmaaltijd heeft Wiardus een nieuwtje voor zijn dochters.

„Folkert komt in het koetshuis wonen. Hij eet bij het personeel in de keuken."

Aagje trekt haar wenkbrauwen op. Was dat nou nodig? Marije is opgetogen.

„Fijn papa. Dat huisje van zijn tante is vol als mud. In het koetshuis heeft hij de ruimte."

„Ik denk ook aan zijn werk Marije", legt Wiardus uit. „Iemand die te weinig slaap krijgt kan zijn taak overdag niet goed vervullen."

„Ik hoor het al papa, u handelt volledig uit eigenbelang," plaagt Marije.

Wiardus blijft serieus.

„Het belang van de smederij is ook het belang van Folkert, famke. En andersom."

Feikje brengt het dessert. Stoofperen met kaneelsaus.

„Is Folkert al bij jullie binnengekomen?" vraagt Wiardus.

„Ja meneer, hij zit te eten."

„Laat Bouke zijn spullen maar naar het koetshuis brengen."

„Hoezo spullen meneer? Folkert heeft helemaal niets meer."

Wiardus schrikt. De ramp is zo totaal, zo allesomvattend.

„Neem Folkert morgenochtend eerst mee naar de uitdrager Feikje, en koop daar de dingen die hij dringend nodig heeft. Kleren, een scheermes, nou ja, dat kan ik wel aan je overlaten."

„Zeker meneer."

Marije zit plotseling met verschrikte ogen te kijken.

„O papa, zouden Folkerts tekeningen ook verbrand zijn?"

„Ik weet 't niet."

Ze springt overeind.

„Ik ga het hem vragen."

„Ga zitten Marije, en eet je dessert."

„Maar papa..."

„Met van tafel gaan vóór we klaar zijn lossen we geen enkel probleem op."

Rustig schept Wiardus een paar stoofperen op zijn bord. Aagje reikt hem de kom met kaneelsaus aan. Er ligt een misprijzende trek om haar mond. Wat een drukte om een knecht.

Marije kan bijna niet wachten tot de maaltijd ten einde is. Als Wiardus is opgestaan gaat ze op een draf naar de keuken. Folkert schraapt net zijn bord schoon. Hij legt gauw zijn lepel neer als hij Marije ziet. Ze laat zich op een krukje tegenover hem vallen.

„Folkert, hoe is het met je tekeningen afgelopen? Toch niet verbrand, hoop ik?"

Er breekt een lach door op zijn gezicht.

„De map stond bij de tekenmeester. En mijn beste ontwerp is in de smederij. Daar mocht ik van uw vader een gravure van maken."

„O gelukkig, wat ben ik daar blij om."

Marije zou kunnen dansen van opluchting. Ze beheerst zich echter en vraagt:

„Wat wordt dat voor gravure?"

Folkert raakt in zijn element.

„Ik kreeg van de tekenmeester afbeeldingen van de theeplant, zoals die in Indië groeit. En daar maakte ik een ontwerp van, kijk zo." Hij gaat met zijn vinger over de tafel. „Hier een tak met aan weerszijden blaadjes. Middenin een bloem. Terzijde nog twee knoppen. Ik mag 't op het deksel van een theebus graveren."

„Dat lijkt me mooi Folkert, je bent een echte zilversmid aan het worden"

„Nou ja, ik moet nog aan het karwei beginnen," tempert hij haar enthousiasme.

„O, ik weet zeker dat het je zal lukken."

Folkert lacht gevleid.

„En waar bent ú mee bezig, juffrouw Marije?"

„Ik? Met een vlinder."

Nu tekent Marijes wijsvinger op de tafel. Folkert bekijkt het met aandacht. Als twee kenners zitten ze te praten.

Boven wordt gebeld. Feikje laat haar vaat in de steek om te gaan horen wat de wensen van de familie zijn.

„Koffie voor juffrouw Agatha, en chocolademelk voor meneer," meldt ze aan Titia als ze terug komt. „Twee koppen chocola, want meneer Douma is er."

Marije spitst haar oren. Is Johannes bij papa? Wat is het lang geleden dat ze hem heeft gezien. Wanneer hij de laatste tijd schrijfwerk kwam doen ging hij altijd direct naar huis. Nooit meer kwam hij in de groene kamer om met papa te schaken. En bij Dieuwertje en Jan Anne ziet ze hem zelden meer, terwijl hij toen Dieuwertje pas ziek was bijna elke dag zijn bezorgde hoofd om de hoek van de deur stak. Johannes! Ze heeft hem gemist.

Titia heeft alles klaar.

„Laat mij de chocolademelk maar naar boven brengen Feikje," zegt Marije, „dan kun jij de koffie nemen."

Marije tilt voorzichtig het dienblad op. Zwaar is het niet, maar ze voelt toch meteen haar elleboog, ook al doet die niet half zoveel pijn meer als vanmorgen. Dat spul van moeder Janna werkt goed.

„Wat wil jij drinken Marije?" vraagt Titia.

„Zometeen thee, bij jullie in de keuken."

Titia houdt de deur voor Marije open en kijkt haar na met een peinzende blik in haar ogen.

„Marije," zegt Wiardus verrast als zijn dochter hem in zijn comptoir de chocolademelk brengt. „Is Feikje er niet?"

„Feikje neemt de koffie voor haar rekening."

„Ja maar famke, dan hoef jij toch niet..."

„Ik hoorde dat Johannes er is."

Ze zet de koppen op Wiardus' bureau en zegt verwijtend:

„We hebben je zo lang niet gezien Johannes. Die arme papa heeft niemand om mee te schaken. En ík heb nog een partijtje dammen van je tegoed. Of was je dat vergeten?"

„Nee, ik herinner 't me best. Maar het kwam er niet van."

„Is er zoveel werk?" informeert Wiardus.

„Ja, dat ook wel. Gelukkig wel."

Johannes staart verlegen naar de vloer. Wat is hij toch bescheiden, denkt Wiardus. Hij voelt zich zomaar te veel. Nooit zal hij zich opdringen.

„Marije heeft gelijk," zegt hij, „het leven bestaat niet alleen uit werken, we moeten ook verpozing zoeken. Heb je zin om zondag bij ons te dineren Johannes, en dan de avond bij ons door te brengen?"

„Graag meneer."

Liever had hij bedankt voor de uitnodiging, maar hij wil meneer Roorda niet voor het hoofd stoten.

„Wat fijn Johannes," zegt Marije, „ik zet het dambord klaar, reken daar maar op."

Ze verdwijnt en de heren gaan verder met hun gesprek.

„Een klein huisje," zegt Wiardus, „ze zijn het niet groot gewend. Ik zal in ieder geval voor het eerste jaar de huur betalen. Via notaris Buwalda natuurlijk. Niemand hoeft dit te weten."

Johannes knikt.

„Ik zal er morgen meteen werk van maken meneer. Er staat nog wel wat leeg in de stad."

Ze genieten van hun chocolademelk. Wiardus vraagt naar Dieuwertje.

„Ze is nog steeds erg zwak. Gelukkig komt vrouw Gerbrandy regelmatig helpen."

„Kan ze dat allemaal doen naast haar bontwinkel?"

„Die gaat 's middags op slot."

Wiardus knikt waarderend.

„En hoe maakt Jan Anne het?"

„Hij heeft heel veel werk. Laatst zag ik een dekenkist die hij gemaakt heeft. Prachtig, in één woord. Dat houtsnijwerk. Hij is een echte kunstenaar."

Johannes vertelt uitvoerig verder. Hij weet dat Wiardus bijzonder geïnteresseerd is in alles wat te maken heeft met Dieuwertjes gezin.

„Jan Anne wil er graag een knecht bij."

„En? Kan hij een geschikte vinden?"

„De werkplaats is er te klein voor. Trouwens, het huisje wordt ook erg krap zo langzamerhand."

Ze kijken elkaar aan en glimlachen.

Aagje heeft gezorgd voor een feestelijke tafel. De zilveren kandelaars en het bestek zijn gepoetst, de wijnglazen staan naast de porseleinen borden. Ze heeft gekozen voor een eenvoudig menu. Gevogelte en twee groentes, met rijstepap als dessert. Johannes zal niet veel gewend zijn, daar in dat kleine huisje van zijn moeder. Al te veel luxe zou hem waarschijnlijk overrompelen. Een goede gastvrouw moet zorgen dat de gast zich thuisvoelt. En Aagje wil een goede gastvrouw zijn.

Wiardus zit aan het hoofd van de tafel, met aan weerszijden zijn dochters en Johannes tegenover zich. Hij draait zijn gevulde wijnglas langzaam tussen zijn vingers. Op wie zal hij de eerste dronk uitbrengen?

„Agatha, we drinken op jou, als de goede gastvrouw. Het ziet er weer volmaakt uit."

„Dank u wel papa."

Ze heffen hun glas en proeven met kleine teugjes. Heerlijk, denkt Johannes. Hij schept een bescheiden portie groente op zijn bord. Aan Marije moet hij geen voorbeeld nemen, dat weet hij.

„Je maakt zeker heel wat mee in je werk," zegt Aagje.

„Zeker. Over het meeste mag niet gepraat worden."

„Waarover dan wel?" vraagt Marije.

Johannes denkt even na.

„Albarda, de onderschout, vertelde me een grappig voorval, dat mag ik vast wel vertellen. Een paar weken geleden liet een huisvrouw haar koperen waterketel onbeheerd bij de stadsput staan. Toen ze terugkwam was het ding verdwenen. Een bedelvrouw had hem meegenomen en direct doorverkocht aan de toddenkramer. Die gaf er vijf stuivers voor. In het volgende dorp zou hij de ketel natuurlijk voor het dubbele kunnen verkopen. Net op tijd werden de rakkers gewaarschuwd. Albarda moest het geval afhandelen."

„En hoe liep dat af?" wil Aagje weten.

„De bedelvrouw moest haar stuivers teruggeven en de kramer werd de stad uitgestuurd."

„Kreeg ze straf?" vraagt Marije.

„Nee, want het bleek dat ze thuis een zieke man had en dat er geen kruimel eten meer in huis was. Een dag later kwam de vrouw die was bestolen bij de onderschout. Er was een deuk in haar ketel gekomen, beweerde ze. Daarvoor wilde ze genoegdoening."

„En kreeg ze die?"
„Welnee, er viel bij die bedelvrouw immers niks te halen."
„Was ze boos?"
„Nogal. Toen zei Albarda dat ze dankbaar moest zijn voor de les die ze geleerd had. Laat nooit je ketel onbeheerd bij de stadsput staan."
„Albarda en jij zijn bevriend met elkaar, is het niet?" vraagt Wiardus.
„Ja, we hebben regelmatig met elkaar te maken. Albarda heeft ook in Franeker gestudeerd."
Johannes eet verder, met al z'n aandacht op zijn bord gericht. Naar links kijkt hij niet. Want daar zit zíj, Marije. Zo dicht bij hem en tegelijk zo onbereikbaar. Elke dag denkt hij aan haar, met een brok verlangen en pijn. Hij gooit zich op zijn werk en zit 's avonds in zijn studieboeken te lezen, om de gedachten aan haar maar kwijt te raken. Soms lukt hem dat heel aardig. Als hij het zichzelf maar vaak genoeg vóórhoudt: ze is niet voor jou, Johannes. Maar dan verschijnt ze in zijn dromen. Ze staat bij het kookvuur om de maaltijd te bereiden. Ze dient het eten op en vraagt: 'Heb je een goede dag gehad Johannes?' Na het eten staat hij op en kijkt haar vragend aan. Ze komt naar hem toe, vleit zich tegen hem aan, laat zich kussen en vrolijk lachend meenemen naar de andere kamer, waar de bedstee is.
Als Johannes ontwaakt uit zulke dromen dan schaamt hij zich. Zo wíl hij niet. Hij moet Marije loslaten, niet aan haar denken, zijn verlangen naar haar opzij zetten. Hij vecht tegen zichzelf. De onrust in zijn lijf houdt hem uit de slaap. Daardoor is hij overdag moe en niet met z'n volle aandacht bij het werk.
„Hoe gaat het met je moeder Johannes?" vraagt Wiardus.
„Heel goed meneer. Ze heeft haar winkel en daar geniet ze van. Er is altijd aanloop en dat vrouwvolk babbelt wat af. Alleen is het jammer dat haar ogen minder worden. Ze maakte al jaren handschoenen maar nu kan ze die fijne steekjes van het borduurwerk niet meer zien. Ik dring erop aan dat we een bril gaan kopen, maar ze is nog niet over de brug."
„Papa draagt al jaren een bril bij zijn werk," verklapt Marije.
Johannes denkt aan zijn moeder, die een bril te duur vindt. Dat

kan hij in dit gezelschap moeilijk zeggen. Hier wordt een bril gekocht wanneer het nodig is.

„Ik zal binnenkort een paar handschoenen bij je moeder bestellen Johannes," belooft Aagje. „Ze levert mooi werk. En wie weet wil ze dan wel een bril aanschaffen."

Aagje is in een goed humeur. Dagenlang heeft ze rondgelopen met tegenstrijdige gevoelens. Teleurstelling over de keuze die jonker Jacob gedaan heeft, boosheid over de vleierij waar hij niets van meende. Als ze aan Janneke dacht was ze brandend jaloers. Het verdriet bleef schrijnen. Vaak kwam de droom haar weer in gedachten. Hoe leeg en stil was het in haar huis en hoe beroofd voelde ze zich. En vanmiddag gebeurde opeens, wat op een dag wel gebeuren móest. Op de Eewal zag ze plotseling het pas verloofde stel gearmd haar richting uit komen. Even keek ze of er een zijsteeg was waarin ze kon ontsnappen. Maar toen schudde ze haar verwarde gevoelens van zich af. Zou zíj haar leven nog langer laten vergallen door die pluimstrijker van een Hasselaer? Nee, en nog eens nee. Ze zou laten zien dat ze boven dat tweetal stond en dat zijn bedrog haar niets meer deed. Ze rechtte haar rug en liep met opgeheven hoofd naar hen toe.

„Janneke, proficiat met je verloving. Meneer van Hasselaer, u hebt werkelijk een heel lieve vrouw gevonden. Ik wens u veel geluk."

Hartelijk schudde ze hen de hand. Met een gevoel van bevrijding liep ze verder. Tevreden over zichzelf kwam ze thuis. Het restje van de pijn verdreef ze door een poos op het klavecimbel te spelen. Muziek is genezing voor de ziel, zei papa wel eens. Hij heeft gelijk. Terwijl ze geniet van de maaltijd zingen de melodieën nog door haar hoofd. Hier aan tafel zitten mensen die zo anders zijn dan van Hasselaer. Papa, die haar waardeert. Johannes, eerlijk en betrouwbaar. Marije, die volwassen wordt, ook al zit ze af en toe nog vol dwaasheden.

Na het eten speelt Johannes een partij schaak met Wiardus en daarna damt hij met Marije. Hij verliest alles. Bijna abrupt neemt hij afscheid. De koude decemberlucht doet hem goed. Hij maakt een omweg naar huis en valt doodmoe in slaap.

8

Het is de avond vóór Kerstmis. Dieuwertje is vroeg naar bed gegaan. Jan Anne zit nog een poos bij het haardvuur. Hij bladert in het boek waar Dieuwertje vandaag in verdiept was. Een Franse roman. Hij begrijpt er geen woord van, want hij heeft nooit Frans geleerd. Op zijn twaalfde jaar ging hij in de leer bij een meubelmaker. Daar werd voornamelijk Fries gesproken. Met een glimlach denkt hij terug aan die tijd in Harlingen. Als jongste maatje moest hij allerlei klusjes opknappen. Gaandeweg leerde hij het vak. Schaven, meten, timmeren. Het ging hem goed af, de baas had plezier in hem. Die baas moest hem nu eens zien: meestermeubelmaker met een eigen werkplaats. Hij krijgt meer opdrachten dan hij aan kan. Daarom maakt hij lange dagen. Met voldoening denkt hij aan de ladenkast die de schout bij hem besteld heeft. Vandaag heeft hij er de laatste hand aan gelegd. Het is een prachtig meubel geworden, met notenhouten fineer op de stijlen. De laden gaan soepel open en dicht. Na de kerstdagen gaat hij de kast afleveren. De schout zal tevreden zijn.

Ook in zijn gezin gaan de dingen wat beter. Dieuwertje heeft het huishouden voor een groot deel weer opgepakt, al springen de beide moeders nog wel eens in. Maar 's avonds gaat ze heel vroeg naar bed, zo moe is ze nog.

Het vuur is gedoofd. Hij dekt het zorgvuldig toe. Zijn dag is lang en vermoeiend geweest, nu verlangt hij naar zijn kussen. Voorzichtig schuift hij naast Dieuwertje in de bedstee. Hij wil beslist niet dat ze wakker wordt. Morgen is het Kerstmis. Hij zal alleen naar de kerk moeten want Dieuwertje is nog te zwak om mee te gaan. Verder wordt het een rustige dag. Ze hebben geen visites afgesproken. Alleen moeder Janna komt in de namiddag, om samen met Dieuwertje een feestelijke maaltijd te bereiden. Het is wel eens goed, een paar rustige dagen met vrouw en kind. Maar daarna gaat hij weer aan de slag. Hij moet nodig aan die porseleinkast beginnen. De tekening heeft hij al gemaakt. Het leven is goed...

Midden in de nacht wordt hij wakker door een zacht gekreun. Geschrokken blijft hij luisteren. Daar is het weer.

„Dieuwertje," fluistert hij.
„Jan Anne, zo'n pijn."
„Famke van me, je wordt toch niet weer ziek?"
„Ik denk dat het kindje komt."
„Dat kan nog niet. Kom maar tegen me aanliggen. Heb je het warm genoeg?"
„Ja, dat gaat wel."
Opnieuw trekt de pijn door haar lijf. Ze probeert er geen aandacht aan te besteden. Het kan nog niet, Jan Anne heeft gelijk. Maar nog geen uur later gaat Jan Anne in alle haast zijn moeder halen. Zodra die bij de bedstee staat, zegt ze:
„De vroedvrouw moest ook maar komen."
Opnieuw gaat Jan Anne door de koude nacht. Als hij thuiskomt gaan de twee vrouwen zonder veel woorden aan het werk. Moeder Janna haalt de luiers en doeken uit de kast. De vroedvrouw vraagt of er een wieg is. Jan Anne haalt het ding van de zolder. Dan stookt hij het haardvuur in de keuken op en hangt er een ketel water boven. Meer kan hij niet doen. De vrouwen hebben hem nu liever van de vloer. Zuchtend gaat hij naar buiten. Wat was hij graag bij Dieuwertje gebleven om haar hand vast te houden, en haar moed in te spreken. Maar vandaag heersen de vrouwen in hun eigen koninkrijk. Als man heeft hij niks bij te dragen.
Hij sjokt door de straten en langs de grachten. Hij komt bij de stadspoorten, die nog gesloten zijn. Een nachtwacht houdt hem aan en vraagt wat hij op straat moet.
„Mijn vrouw ligt in de kraam."
„Tja, en dan worden wij mannen de deur uitgewerkt," lacht de man.
Voor Jan Anne valt er niks te lachen. Het kind meldt zich weken te vroeg en Dieuwertje is nog niet volledig aangesterkt na haar ziekte. Ongerust loopt hij verder. In een enkel huis schemert een lichtje door een kier van de luiken. Hij ruikt vluchtig de rook van een haardvuur. Daar ergens wordt de ochtendpap al gewarmd. Plotseling voelt hij zijn maag rammelen. Meestal krijgt ook hij zijn ontbijt in dit vroege morgenuur. Zal hij naar huis gaan en kijken of er iets te eten is? Nee, toch maar niet, de vrouwen hebben

wel wat anders aan hun hoofd. Vandaag moet hij zichzelf zien te redden. Plotseling grijnst hij. Hij loopt resoluut naar het achtererf van zijn moeders huisje, zoekt de sleutel in het schuurtje en stapt naar binnen in de zo vertrouwde keuken. In de kast vindt hij roggebrood en dunbier. Zittend aan de grote keukentafel stilt hij zijn honger. Als hij klaar is neemt de onrust hem weer te pakken. Hoe lang is het geleden dat hij van huis ging? Er kan intussen van alles gebeurd zijn. Als het maar goed gaat met Dieuwertje. Met lange passen beent hij naar zijn eigen huis en steekt zijn hoofd binnen de keukendeur. Moeder Janna ziet hem.

„Hoe gaat het, moeder?"

„Goed jongen. Je moet nog wel een poos geduld hebben."

Uit haar woorden klinkt vertrouwen maar op haar gezicht leest hij de ongerustheid. Hij draait zich om, steekt het erf over en gaat zijn werkplaats binnen. Het gereedschap is opgeruimd, de vloer en de werkbanken zijn geveegd. Het is of er hier niet op hem gerekend wordt. Hij steekt een lamp aan en rakelt het vuur op. Dan trekt hij een kruk bij. Er liggen spaanders en restjes hout in de mand. Diep in gedachten gooit hij ze in de vlammen. Het gaat goed met Dieuwertje, zei moeder. Meende ze dat echt? Of zei ze het om hem gerust te stellen? Se moat oer de glêzene brêge, *) zeggen de vrouwen als een van hen bevallen moet.

En als die glazen brug breekt? De angst knijpt achter zijn ribben. Dieuwertje, zijn vrouw, hij kan haar niet missen. Hij zou zo naar haar toe willen rennen. Als een gevangene loopt hij door zijn werkplaats. Heen en terug, heen en weer terug.

Buiten hoort hij de poort dichtklappen. Wat gebeurt daar? Hij vliegt het erf op en kijkt verdwaasd rond. Niemand. Heeft hij zich zo vergist? Hij staat doodstil en luistert ingespannen. Uit zijn huis komt geen enkel gerucht. Dieuwertje zal toch niet... Dan gaat de poort open. Hij schrikt. Het is Janna.

„Moeder!"

Ze hoort de angst in zijn stem en komt naar hem toe.

„Het gaat goed. Alleen, je moet écht geduld hebben. En vertrouwen."

*) ze moet over de glazen brug.

„Maar... Dieuwertje."
„Je hebt een geweldige vrouw, Jan Anne."
„Maar wat doet u buiten?"
„Sjoerd werd wakker. Ik heb hem naar buurvrouw Antje gebracht."
Even legt ze haar hand op zijn arm. Alsof ze iets van haar eigen zekerheid op hem over wil brengen.
Jan Anne staat weer alleen op het erf. Hij haalt diep adem. Een geweldige vrouw, ja, die heeft hij. En ook een geweldige moeder. Geduld, zei ze. Dat is voor hem het moeilijkste wat er is. Werken, dat kan hij. Iedere dag, van zonsopgang tot in de avond.
Hij gaat zijn werkplaats weer binnen. In een hoek ligt een stuk hout, een overschot van de ladenkast. Hij bekijkt het aan alle kanten, gaat ermee op zijn kruk bij het vuur zitten en neemt zijn mes.
Buiten beginnen de klokken te luiden. Verbaasd laat hij zijn werk rusten. Het is Kerstmis. Feest van de geboorte. Nooit eerder heeft hij beseft hoe dicht leven en dood naast elkaar liggen. Hier vlakbij, in zijn eigen huis. En lang geleden, in de stal van Bethlehem. Kijkend naar het ruwe hout in zijn handen ziet hij het visioen van een vrouw met een kind.
De uren verglijden. Hij voelt geen honger en geen dorst, hij is gedreven door wat hij wil uitbeelden: het geheim van het nieuwe leven. Het vuur is allang uitgebrand. Hij merkt het niet. Van binnen is er een gloed die hem verwarmt.

De deur van de werkplaats gaat open.
„Jan Anne."
Hij springt overeind.
„Gefeliciteerd jongen, je hebt een dochter."
Tranen schieten in zijn ogen.
„En Dieuwertje?"
„Ze maakt het goed. Kom maar gauw kijken, ze vraagt naar je."
Dieuwertje ligt met een smal gezichtje in de bedstee, met naast haar een ingebakerd mensenkind.
„Jan Anne, een dochter!"
Haar ogen stralen.
Hij gaat naast haar zitten en streelt haar hand.

„Lieverd, ik ben zo trots op je."

Achter zijn rug zijn de vrouwen aan het redderen. Hij hoort het niet eens. Janna legt een hand op zijn schouder.

„Dieuwertje moet rusten. Wil jij het goede nieuws aan moeder Jitske en Johannes gaan vertellen?"

„En ook aan Marije," zegt Dieuwertje.

Jan Anne knikt. Hij zou het naar de hele wereld uit willen schreeuwen.

„Neem Sjoerd maar mee," zegt Janna. „En zeg tegen Jitske dat we morgenmiddag op haar rekenen, zoals we hadden afgesproken."

Ze loopt met hem mee naar buiten.

„Misschien vraagt iemand hoe het met de boreling gaat."

„O, eh ja, wat moet ik dan zeggen?"

„Het kindje ziet er goed uit maar het is heel klein en teer."

Hij knikt opgelucht. Zo hevig was hij met Dieuwertje bezig dat hij aan het nieuwe kindje nauwelijks gedacht heeft. Wéken te vroeg geboren maar toch gezond. Janna geeft haar zoon een duwtje.

„Ga nu maar, lummel van me. Je mag best een poosje wegblijven."

Eerst gaat hij naar de buren. Dan loopt hij met Sjoerd naar de Molensteeg. Het winkelbelletje klingelt, alsof het een gewone dag is. Hij loopt meteen door naar de woonkeuken.

„Jan Anne, gezellig," zegt Jitske.

„Meer dan dat mem. We hebben een lytse poppe."

„Wat? Nu al?" roept ze verschrikt.

„Ja, het heeft ons ook overvallen. Maar Dieuwertje en de kleine maken het goed. Het is een meisje."

„Doen jullie je jassen uit en ga zitten, dan schenk ik thee."

„Is Johannes er niet?"

„Die is gaan wandelen. Wat hem de laatste tijd mankeert weet ik niet, maar hij is zo rusteloos. Hij eet weinig en slaapt slecht. Als hij maar niet ziek is."

Jitske schenkt thee in en zet een schotel met suikerpofjes *) op tafel.

*) zoete broodjes

Sjoerd klimt bij zijn vader op schoot.
„Sûkerswiet," zegt hij, „lekker."
„Willen jullie er wat boter op?"
Dat willen de mannen graag. Jan Anne voelt zijn maag rammelen. Sinds vanmorgen vroeg heeft hij niets gegeten.
„Heerlijk mem."
„En vertel me nu eens alles," vraagt Jitske.
Jan Anne zoekt naar woorden. Alles? Hij weet bijna niets. Vannacht begon het en vanmiddag was het kind er. Moet hij praten over zijn eigen angst? Of over zijn wonderlijke ervaring in de werkplaats? Moeder Jitske zou het niet snappen, ze leeft met de dingen van alledag. Zijn eigen moeder, ja, die zou het wel begrijpen.
„Dieuwertje heeft het er geweldig van afgebracht. De poppe is erg klein, maar moeder Janna zegt dat we ons niet ongerust hoeven te maken. Morgen hoort u het overige wel van het vrouwvolk. We rekenen erop dat u 's middags komt, zoals afgesproken."
Ze smullen van hun broodjes. Jan Anne merkt dat hij moe is. Wat blijft Johannes lang weg. Hij besluit dat hij niet langer op hem wil wachten.
„Wij moeten nog een deur verder mem."
Moeder Jitske laat ze node vertrekken. Jan Anne ziet dat ze nog ontdaan is over het onverwachte nieuws. Nou, dat moet Johannes straks maar opvangen, hij zelf is niet zo handig in die dingen.
Bij het grote huis aan de Nieuwestad laat hij de klopper op de gebeeldhouwde deur vallen. Feikje doet hem open.
„Zou ik Marije even mogen spreken?"
„Zeker meneer Gerbrandy, komt u binnen."
Feikje gaat hem aandienen. Marije komt haastig aanlopen.
„Jan Anne, is het goed met Dieuwertje?"
Hij grijnst breed.
„Héél goed. We hebben een dochter."
Marijes mond valt open van verbazing.
„Nu al? Moeder Janna had begin februari gedacht."
„Tja, het popke had haast. Maar het lijkt allemaal goed, zegt moeder. Kom over een paar dagen maar eens kijken."
Hij wil weer vertrekken. Marije protesteert.

„Kom toch binnen."
„Nee nee, het is Kerstmis."
„Des te mooier."
In de deur van de salon verschijnt Wiardus.
„Aha, meneer Gerbrandy. En Sjoerd!"
„Ze hebben een dochter, papa. Is het niet geweldig?"
„Dat is het zeker. Komt u toch verder, dan drinken we op de boreling."
Jan Anne kan niet weigeren. Hij lacht om Sjoerd, die zijn jasje al heeft uitgedaan.
In de salon zit Aagje bij het haardvuur. Ze legt haar borduurwerk aan de kant en feliciteert Jan Anne. Marije schuift stoelen bij. Wiardus belt Bouke en vraagt hem om wijn en glazen te brengen.
Jan Anne voelt zich onwennig in de mooie salon. Hij is geen visitemens. Maar vanwege Marije schikt hij zich in de situatie. Voor de derde keer moet hij zijn verhaal vertellen. Hij doet het zo beknopt mogelijk. Wordt er in deze kringen ooit over een bevalling gesproken? Het is geen deftig onderwerp van gesprek.
„Op jullie jongedochter, meneer Gerbrandy," zegt Wiardus. „We hopen dat ze voorspoedig zal opgroeien. En ook dat Dieuwertje spoedig weer de oude zal zijn."
Jan Anne ziet de warme blik in zijn ogen.
„Dank u wel," antwoordt hij.
Hij nipt van zijn wijn en proeft van het kerstgebak dat Marije bij hem heeft neergezet. Dan gaat hij er wat gemakkelijker bij zitten. Meneer Roorda is altijd zo betrokken bij hun jonge gezin. Hij herinnert zich de grote mand vol goede gaven die op Sint Nicolaasavond bij hen bezorgd werd. Zonder twijfel was die uit dit huis afkomstig.
„Hebben jullie al een naam?" vraagt Wiardus.
„Jitske," zegt Jan Anne, „naar Dieuwertjes moeder."
Sjoerd heeft zijn gebak op. Hij kijkt om zich heen en ontdekt het klavecimbel.
„Muziek," roept hij en meteen draaft hij erop af.
Marije vliegt achter hem aan en tilt hem op net vóór hij zijn vingertjes bij de toetsen heeft.
„Muziek, Sjoerd muziek!" roept hij boos.

„Ja, als je groter bent mag je ook muziek maken. Nu ben je nog te klein."

Ze neemt hem mee terug, zet hem op haar schoot en zingt het versje waar hij zo van houdt:

„Hop hop hynke, Ljouwert op in pynke..."

„Nog es."

Na de zevende keer vindt Marije het genoeg. Ze neemt een marsepeinen hartje van de schaal en laat hem een stukje proeven.

„Hoe vind je dit? Lekker?"

Bij wijze van antwoord hapt hij haar bijna in de vingers voor de rest. De anderen kijken lachend toe.

„Je maakt een smûzer*) van hem Marije," zegt Jan Anne.

„Het is feest vandaag, hè Sjoerd. Wil je nog wat?"

Ook Aagje geniet van de jongen. Zojuist, toen Marije Jan Anne naar binnen nodigde, voelde ze een lichte wrevel. Moest dat nou vandaag, op kerstdag nota bene? Zo interessant is die Jan Anne nou ook weer niet. Maar langzamerhand is ze ontdooid. Sjoerd is een alleraardigst kind. Hun rustige salon is opeens vol gezelligheid. Ze ziet de warme belangstelling die haar vader heeft voor de Gerbrandy's. Ze kijkt naar Marije, die zo lief en moederlijk is met het kind. Sjoerd hangt tegen haar schouder aan en smakt nog even na. Jan Anne zit met een tevreden gezicht naar zijn zoon te kijken. Ze heeft plotseling het gevoel dat dít bij het echte leven hoort. De aandacht voor elkaar, de vreugde om een kind. Het lijkt haar of ze daar zelf buiten staat. Ze mag er wel naar kijken, maar ze heeft er geen deel aan. Terwijl ze dat wel zou willen. Heel graag zou willen zelfs.

Sjoerd heeft opnieuw iets ontdekt. Hij laat zich van Marijes schoot afglijden en loopt naar Aagje toe. Vol verbazing kijkt hij naar de armband die ze draagt. Zijn vingertjes gaan over het zilveren filigrainwerk. Hij keert Aagjes hand om want hij wil de rest van de armband ook zien.

Eén wijsvingertje kruipt onder de armband en als hij merkt hoe hij door het fijne zilverwerk heen kan kijken is hij helemaal opgetogen.

*) smuller, lekkerbek

Even is Aagje bang dat hij haar kostbare sieraad stuk zal trekken. Maar ze merkt hoe voorzichtig hij is en dan laat ze hem rustig zijn gang gaan. Hij leunt zo vertrouwelijk tegen haar aan. Ze voelt de warmte van zijn lijfje tegen haar been. De kleine handen strelen het zilver en glijden langs haar pols. Ze wist niet dat een kinderhand zo zacht en lief kon zijn. Vertederd kijkt ze op hem neer.

„Is glimmen," zegt hij en stralend kijkt hij haar aan.

„Vind je het mooi?" vraagt ze.

In zijn kastanjebruine ogen ziet ze het licht van de kaarsen weerspiegeld. Dat is nog veel mooier, denkt ze.

„Ja, glimmen is mooi."

Nog even strijkt hij met zijn hand over Aagjes zijden feestjurk.

„Is ook glimmen."

Dan zoekt hij gauw zijn vader op om bij te komen van al dat moois. Jan Anne tilt hem op.

„Kom kleine ekster, we moeten naar huis."

„Ekster," zegt Marije verontwaardigd, „die jongen heeft nú al gevoel voor wat mooi is. Hij kan later best zilversmid worden."

„Of meubelmaker," antwoordt Jan Anne laconiek.

Aagje kijkt met een plezierig gevoel terug op die eerste kerstdag. Met z'n drieën zijn ze naar de kerk geweest. Nog hoort ze het feestelijk klokgelui. Het diner 's avonds was zeer geslaagd, die patrijs was werkelijk verrukkelijk. Titia en Feikje hebben hun best gedaan! Misschien moet ze hun een extraatje geven. Dat doen Eelco en Joukje ook, heeft ze gehoord. Een sympathiek gebaar, al moet je het personeel niet te veel prijzen. Daar worden ze gemakzuchtig van.

Papa zat tijdens het diner op zijn praatstoel. Hij vertelde over vroeger, toen zij klein waren. Over het poppenhuis dat zij kreeg op haar zesde verjaardag. Over de streken die Marije uithaalde. Zelfs vertelde hij over IJsbrand, die zo'n vrolijk en charmant kind was. Zou papa aan vroeger denken door het bezoek van vanmiddag? Die kleine jongen van Dieuwertje en Jan Anne is een kostelijk, spontaan kind. Aagje wordt opnieuw warm als ze aan het moment denkt dat hij tegen haar aanleunde, vol bewondering voor haar mooie armband. Hij gaf haar het gevoel dat ze ook deel uitmaakte van die kring mensen die met elkaar omgingen op zo'n eerlijke, warme manier. Sjoerd was degene die het ijs brak en hen allemaal bij elkaar bracht. Wat een rijkdom, zo'n klein kind. En nu heeft Sjoerd er ook nog een zusje bij. Voor het eerst in haar leven verlangt Aagje hartstochtelijk naar een eigen gezin, naar kinderen.

Jan Anne heeft zorgen. De kleine Jitske lijkt het leven nauwelijks aan te kunnen. Ze drinkt maar heel kort en valt dan meteen weer in slaap. Moeder Janna adviseert Dieuwertje om het kindje zo vaak mogelijk de borst te geven, zodat het toch wat kracht zal opdoen. In huis moet goed gestookt worden want de lytse poppe kan zichzelf niet voldoende warm houden. Ze slaapt bij haar moeder in de bedstee, zodat die er elk moment van de nacht voor haar is. Jan Anne heeft voor zichzelf een tijdelijk bed gespreid bij Sjoerd in het kamertje. 's Nachts laat hij de deur op een kier staan, zodat hij Dieuwertje kan horen als ze hem nodig heeft.

Ook om Dieuwertje heeft Jan Anne de nodige zorg. Ze is na de bevalling erg zwak gebleven. Voor het huishouden en voor Sjoerd heeft ze geen energie, ze heeft haar handen meer dan vol aan Jiske, zoals Sjoerd haar noemt. Zolang de baker er is, gebeurt alles op tijd. Maar als die straks weg is? Jan Anne overlegt met zijn moeder.

„Het zou goed zijn om iemand in dienst te nemen," zegt Janna. „Ik weet wel een vrouw die geschikt is en graag wat bijverdient."

„Wilt u dat met haar regelen moeder?"

„O o, die mannen! Het komt voor elkaar Jan Anne. Ik zal vragen of ze alle morgens kan komen. En wat ik nog meer wou zeggen: het eerste jaar liever geen zwangerschap meer. Blijf maar bij Sjoerd in het kamertje, dat is wellicht beter."

Hij ziet haar donkere ogen, de ironische glimlach om haar lippen. Het stoort hem, maar het is wijs wat ze zegt.

In hun huis is het erg vol geworden. Jan Anne beseft dat ze iets anders moeten zoeken. Een ruimer huis én een grotere werkplaats. Dan kan hij een tweede knecht in dienst nemen. Misschien kunnen ze in de zomer verhuizen. Als Dieuwertje dan weer is opgeknapt en Jiske wat groter is.

In de werkplaats heeft hij daags na de Kerst zijn houtsnijwerk gevonden. Verwonderd heeft hij het een poos in handen gehouden. Ja, zo heeft hij het beleefd. Moeder en kind, een geheim waar hij nauwelijks woorden voor heeft. Met zijn houtsnijwerk kon hij het verbeelden. Hij heeft er een doek om gewonden en het zorgvuldig weggeborgen, achter op een schap. Daarna is hij vol goede moed aan zijn porseleinkast begonnen.

Het is oudejaarsdag geworden. Marije zit in de keuken bij het kookvuur. Naast haar staat de grote pot beslag die ze vanmiddag gemaakt heeft. Nu bakt ze wafels. Twee ijzers heeft ze in het vuur. De lange handvaten rusten op een paar houders. Naast haar staat een platte schaal, waarop ze de wafels voorzichtig neerlegt.

Marije vindt het gezellig in de keuken. Titia zit aan de grote tafel, bij uitzondering met haar handen in de schoot. Feikje repareert een schort. Ze heeft een plekje bij het raam opgezocht om zo veel mogelijk licht te hebben. En Bouke staat buiten hout te hakken. Er is veel nodig, want morgen moet het vuur in de salon goed branden. Er komen gasten met hun nieuwjaarswensen en de gebruikelijke geschenken. Ook in de keuken moet de houtvoorraad aangevuld worden.

Titia staat op, haalt kommen uit de kast en schenkt thee in. Met z'n allen komen ze rond de tafel zitten. Marije zet haar wafels voor hen neer.

„Proef maar eens."

Op dat moment gaat de buitendeur open.

„Aha, Jorrit," zegt Titia, „zet de dozen maar op het aanrecht. Wil je ook een kop thee?"

„Heel graag. Het is kil buiten. Hier is het tenminste warm en gezellig."

„Probeer mijn wafels eens," zegt Marije.

„Nou, als ik zo vrij mag zijn."

Jorrit proeft als een kenner.

„Geweldig, juffrouw Marije. Hebt u het beslag ook zelf gemaakt?"

„Jazeker."

„Dan kunt u zomaar bij ons in de bakkerij komen werken."
„Jorrit toch," schrikt Feikje.
Marije lacht.
„Ik zal er eens over nadenken."
Jorrit moet weer verder. Feikje laat hem uit. Het duurt even voor ze terugkomt. Marije ziet dat ze rode wangen heeft en dat haar mutsje scheef zit. Ze lacht geamuseerd. Zo zo, die Feikje! Bouke doet er nog een schepje bovenop.
„Better de bakker oan 'e doar as de dokter." *)
Feikje kleurt nog dieper rood.
„Je hebt het gezien Marije," zegt Titia rustig, „maar je moet er met niemand over praten. Die twee hebben nog een moeilijkheid te overwinnen."
„Hoezo?"
„Eigenlijk is Feikje nog steeds getrouwd."
„Feikje?"
„Ja, met Murk."
Er gaat Marije een licht op.
„Dat is waar ook. Hoe lang is Murk al weg?"
„Vijf jaar," antwoordt Feikje met een zucht.
„En ben je dan nog altijd getrouwd?"
„Dat weet ik niet zeker. Ik ben bang van wel."
Marije denkt diep na. Tenslotte zegt ze:
„Je kunt Johannes om raad vragen."
„Ja, maar niemand mag het weten," aarzelt Feikje.
„O, Johannes kun je vertrouwen. Hij is uiterst discreet."
Opnieuw gaat de buitendeur open en Folkert stapt naar binnen.
„Wat ben jij vroeg," lacht Bouke. „Heeft de meester je niet meer nodig?"
„We mochten wat eerder ophouden vanwege oudejaarsdag."
Titia schenkt thee voor hem in. Marije schuift de schaal met wafels naar hem toe. Hij valt er op aan alsof hij de hele dag nog niets gehad heeft.
„Rustig aan," zegt Titia gemoedelijk, „je krijgt straks nog warm eten."

*) beter de bakker aan de deur dan de dokter.

Verschrikt kijkt Folkert haar aan.

„Vertel eens, hoe is het met je familie?" vraagt Titia. „Wonen ze nog steeds bij je tante in?"

„Nee, gisteren zijn ze in een ander huisje getrokken."

„Wat gauw. Waar wonen ze nu?"

„Vlak achter het vorige huis, in de Boterbuurt. De diakonie heeft voor spullen gezorgd. Een tafel en beddegoed en zo. We hoeven het eerste jaar geen huur te betalen."

„Nou nou, jullie boffen maar," vindt Feikje. „En ga je nu weer bij je ouders wonen, of blijf je gezellig bij ons?"

Folkert krijgt een kleur van verlegenheid.

„Meneer Roorda heeft gezegd dat ik hier mag blijven als ik dat wil. In het nieuwe huis is het nogal krap, en heit en mem moeten ook nog van alles kopen, dus..."

Ze begrijpen het allemaal. Folkerts vader is molenaarsknecht. Het zal de komende tijd nog een zuinig bestaan zijn.

Bouke grijnst:

„In man oer board, in iter minder." *)

Op Nieuwjaarsmorgen brengt Marije wat van haar wafels naar Dieuwertje en haar gezin. Het is er druk en vol, zodat ze maar heel kort blijft. Nu wil ze Johannes en zijn moeder nog verrassen. Ze loopt terug naar huis en doet in de keuken een nieuwe voorraad wafels in haar mand. Voor hier thuis blijft er genoeg over, ze heeft gisteren een flinke voorraad gebakken.

Het is maar een paar straten ver naar de Molensteeg. Johannes is alleen thuis. Hij zit in de keuken in de grote stoel bij het vuur en doet verschrikt zijn ogen open als ze binnenkomt.

„Marije!"

„Zat je te slapen? Ik maak je toch niet wakker?"

„Nee nee, het geeft niet."

„Hier zijn wafels voor jullie. Ik heb ze zelf gebakken."

„Lief van je. Daar zal mem blij mee zijn."

„Jij dan niet?"

„Ja, natuurlijk. Bedankt Marije."

*) Een man overboord, een mond minder om te vullen.

Hij komt overeind en zoekt een schaal.
„Leg ze hier maar op als je wilt. Dan kun je je mand gelijk mee terug nemen."
Het klinkt niet erg gastvrij. Marije is niet van plan om zich te laten wegsturen. Ze houdt Johannes de schaal voor.
„Proef eens."
Zelf neemt ze ook een wafel. Zonder uitnodiging gaat ze in de andere stoel bij het vuur zitten.
„Hoe smaakt dat?"
„Voortreffelijk Marije."
„Jorrit zei dat ik wel bij hen in de bakkerij kon komen werken."
„Hoe durft hij. De vlegel!"
„Jorrit is een grappenmaker."
Marije denkt aan het probleem waar Jorrit en Feikje mee zitten. Zou ze Johannes er voorzichtig over polsen? Maar nee, ze heeft beloofd om te zwijgen. Bovendien doet Johannes vandaag zo knorrig.
„Waar is je moeder?"
„Bij een zieke buur."
„Heeft ze geen thee voor je gezet?"
Hij schudt zijn hoofd.
„Zal ik thee voor je maken?"
„Nee, dat hoeft niet."
„Is alles in orde met je Johannes? Ik kwam je mijn goede wensen brengen voor het nieuwe jaar. Wat zal ik je toewensen? Gezondheid? Veel plezier in je werk?"
Vragend kijkt ze hem aan. Hij haalt zijn schouders op en kijkt in het vuur.
„Ik ben heel tevreden met alles wat ik heb."
Hij wil niet met me praten, denkt Marije. Er zit hem iets dwars. Vast iets uit zijn werk, daar komt hij zo veel ellende tegen. Het moet allemaal geheim blijven, dat heeft hij vaak genoeg gezegd. Hooguit kan hij er met Buwalda over praten. Zíj moet hem niet langer aan zijn hoofd zeuren. Want wat weet zij met haar achttien jaren nou van die ingewikkelde wereld waar het over recht en onrecht gaat, over misdaad en straf. Dat is het terrein van de mannen. Maar het moet wel iets vreselijks zijn wat

hem bezighoudt. Hij ziet er zo triest uit.

Even zou Marije willen opstaan en een troostende arm om zijn schouder leggen, zoals ze met Sjoerd doet als hij zich bezeerd heeft. Maar Johannes is geen kind meer. En een welopgevoede jongedame doet zoiets niet. Aagje moest eens weten van deze plotselinge opwelling. Ze zou vuur spugen van verontwaardiging. En terecht.

Ze begrijpt dat Johannes haar liever ziet vertrekken. Daarom staat ze op en pakt haar korf.

„Doe de groeten aan je moeder, Johannes."

„Dat doe ik. En bedankt voor je wafels."

Diep in gedachten loopt Marije naar huis. Hoe komt ze erbij om Johannes als een kind te willen behandelen? Nota bene, een volwassen, flinke man. Dan, plotseling, herinnert ze zich iets wat bij Dieuwertje thuis gebeurde. Ze waren met z'n tweeën in de woonkeuken toen Jan Anne binnenstrompelde, helemaal ontdaan. Zojuist, toen hij terugkwam van een klant, had hij een kind zien verongelukken onder de wielen van een rijtuig. Het was vlak voor zijn ogen gebeurd en hij had het niet kunnen voorkomen, zo vlug was het in zijn werk gegaan. Nu zat hij bij de haard met z'n hoofd in z'n handen, huilend van ellende. Dieuwertje was naar hem toe gegaan, had haar arm om hem heengeslagen en hem zachtjes over zijn haar gestreken.

Marije staat stil boven op een brug. De winterse bomen weerspiegelen vaag in het water van de gracht. Dus... zo kun je wél een volwassen man troosten. Terwijl je hem toch respecteert. Want dat is heel belangrijk in het huwelijk, heeft ze geleerd. Respect voor je echtgenoot. Heeft Dieuwertje dat? O, jazeker. Maar op dat vreselijke moment liet ze Jan Anne niet alleen in zijn ontreddering. Ze kón eenvoudig niet anders, daarvoor houdt ze te veel van hem. Marije ziet het glashelder: wat Dieuwertje deed was een gebaar van liefde. En zelf had ze ook dat gebaar willen maken naar Johannes. Plotseling ziet ze hét duidelijk: omdat ze van hem houdt en het niet kan aanzien dat hij zo terneergeslagen is.

Marije loopt langzaam verder. Ik hou van Johannes, denkt ze. Eigenlijk al heel lang. Ik zou altijd bij hem willen zijn om voor hem te zorgen en hem warmte en huiselijkheid te geven. Bij Johannes zou ik me veilig voelen.

De gedachte is nieuw voor haar. Nog nooit heeft ze in alle ernst over een echtgenoot nagedacht. Maar nu opeens weet ze zonneklaar dat het Johannes moet zijn.

Tegelijk roept ze zichzelf tot de orde. Stel je niet aan Marije, Johannes ziet jou alleen maar als een jonger zusje. Toen hij laatst kwam dineren heeft hij immers totaal geen aandacht aan je besteed. Als hij wil trouwen dan kiest hij natuurlijk een van de dochters van Buwalda. Die zijn van zijn eigen leeftijd. En dan zal hij wel de opvolger van Buwalda worden. Zo gaat dat meestal. En nog later, dan wordt hij misschien wel rechter aan het Hof. Zo'n knappe, belangrijke man zal heus niet geïnteresseerd zijn in een kind dat haar manieren nog niet kent, een onbesuisd veulen, zoals Aagje wel eens zegt.

Marije huivert. Ze loopt vlug door naar huis om zich voor te bereiden op de ontvangst van vanmiddag.

9

Daags na nieuwjaar schijnt er een winters zonnetje over de stad. Wiardus zit met Marije aan de ontbijttafel. Hij heeft slecht geslapen. Gisteren, toen ze hun nieuwjaarsgasten ontvingen, heeft hij van één van Marijes vriendinnen een bericht opgevangen dat hem de halve nacht heeft beziggehouden. Het kleine popke van Dieuwertje en Jan Anne is eigenlijk te broos voor deze koude wereld. Ze vechten om het in leven te houden.

Het doet Wiardus verdriet. Hij denkt aan het bezoek dat Dieuwertje hun in het najaar bracht. Ze was zo welgemoed. Wat zal ze nu in angst zitten. Kan ze de zorg wel aan? Ze is zelf nog erg zwak, heeft hij van Marije begrepen. En wat moet het voor Jan Anne betekenen, die zo opgewekt kwam vertellen dat ze een dochter hadden. Een bijzondere en onverwachte ontmoeting was dat trouwens, op die eerste kerstdag. Wiardus denkt er met plezier aan terug. Maar nu hangt de dreiging van de dood boven hun hoofden. Hij zou er heen willen gaan om ze moed in te spreken. Hij zou alles willen doen om ze te helpen. Dat jonge gezin is hem zo dierbaar. Maar hij kan niets voor ze betekenen. Hij kan alleen maar hopen. En bidden.

„U ziet er moe uit papa."

„Ik heb zorgen om Dieuwertje en haar kindje."

Marije knikt.

„Het gaat niet zo goed. Johannes zag er zo triest uit. Ik denk dat het hem ook erg bezighoudt."

„Heb je hem gesproken?"

„Gistermorgen heb ik er een paar wafels gebracht. Hij was helemaal verslagen."

„Geen wonder, hij is enorm op zijn zusje gesteld. Denk je dat je er vandaag langs kunt gaan om te vragen hoe het is?"

„Dat doe ik."

„Neem dan iets versterkends voor ze mee. Een fles wijn of wat anders. Overleg het maar met Titia."

„We bedenken wel iets."

Hij trekt het zich wel erg aan, denkt Marije. Die goeie papa! Hij is altijd zo zorgzaam voor anderen. Ze weet wel bijna zeker dat híj het was die ’t nieuwe huisje voor Folkerts familie heeft geregeld.

„Ik hoop dat u toch fijn kunt werken, papa. Waar gaat u mee aan de slag?”

„Ik wilde beginnen met dat avondmaalsstel voor de kerk van Franeker.”

Het is een eervolle opdracht, die hij in het najaar kreeg. In Franeker is ook een gilde van zilversmeden, maar voor zoiets belangrijks komen ze toch naar Leeuwarden. Hij heeft tekeningen gemaakt waar de Franeker kerkvoogdij heel tevreden over was.

„Ik maak eerst de grote schaal. We hebben nieuwe platen zilver binnengekregen, ik geloof dat de kwaliteit uitmuntend is.”

Wiardus loopt door de winterse ochtend naar zijn smederij. In de werkplaats is het schemerig. Hij steekt de lampen aan en haalt zijn ontwerp uit de kast.

„Goedemorgen meester. Een gelukkig nieuwjaar.”

„Dank je Folkert, insgelijks.”

De anderen komen binnen en weldra is alles weer volop in bedrijf. Wiardus haalt een plaat zilver tevoorschijn, bestudeert zijn ontwerp en installeert zich bij het grote aambeeld. Voorzichtig begint hij het zilver uit te kloppen. Dit moet een pronkstuk worden, iets wat past in die mooie kerk. Om te beginnen moet de vorm volmaakt rond zijn. Met al zijn aandacht werkt hij een poos. Het stoort hem dat hij niet genoeg licht heeft. Daarom legt hij zijn hamer neer en schuift het aambeeld iets naar het raam toe. Dat scheelt, maar het is nog niet voldoende. Nog een stukje. Wat is dat ding zwaar.

Zal hij een van de anderen om hulp vragen? Folkert staat bij de smeltoven. Hij houdt de tang al in het vuur. Dat betekent dat hij op het punt staat om de gietbeker van de ring te halen en het vloeiende zilver in de mallen te gieten. Aykema staat naast hem, al is dat bijna niet meer nodig. Folkert weet zo langzamerhand het juiste moment. Niet te vroeg, want dan vloeit het zilver niet goed uit. Ook niet te laat, want dan komt er te veel lucht bij.

Oege is met soldeerwerk bezig. Ook niet iets wat je even kunt laten liggen. Wiardus besluit dat hij zelf dat aambeeld wel naar de beste plek verschuiven kan. Hij heeft er nog nooit eerder een knecht bijgeroepen. Hij duwt en trekt, tot het ding eindelijk staat waar hij het hebben wil. Hijgend zakt hij neer op zijn kruk. Dit moet hij nooit weer doen! Hij pakt de hamer en legt het zilver op het aambeeld. Dan trekt er een moordende pijn door zijn borst. De hamer valt uit zijn hand.

Wicher Aykema ziet hoe het gesmolten zilver als een glinsterende rivier in de mallen loopt. Het brengt hem altijd weer in vervoering, dit zijn de mooiste momenten in zijn werk. Achter zijn rug valt iets op de grond. Verbaasd kijkt hij om. Meneer Roorda laat nooit iets vallen. Dan schrikt hij. Hij ziet een gezicht dat van pijn verkrampt is, een mond die naar adem hapt. Met een paar stappen is hij bij zijn werkgever. Hij steunt hem in z'n rug en kijkt naar Oege.

„Ga onmiddellijk de dokter halen. Zeg dat er grote haast bij is."

„Ja maar ik..."

„Hij woont in de Jacobsstraat, naast de boekhandel."

Oege kijkt hem verdwaasd aan.

„Opschieten!"

Folkert heeft zijn gietbeker op de steen bij het vuur gezet en de tang neergelegd. Aarzelend komt hij dichterbij.

„Pak mijn jas en leg die hier op de grond."

Met z'n tweeën leggen ze Wiardus voorzichtig neer.

„Loop naar de Nieuwestad Folkert, en vraag of juffrouw Agatha zo spoedig mogelijk hier komt. Zeg dat haar vader onwel geworden is."

Aagje zit in bed, een paar kussens in haar rug. Ze geniet nog na van alle gezelligheid van de vorige dag. Zoveel mensen kwamen bij hen met hun geschenken en goede wensen. In de komende weken zal ze wat tegenbezoeken moeten brengen. Niet bij iedereen natuurlijk. Maar wél bij Eelco en Joukje. Die twee gaat ze steeds meer waarderen. Ze zijn hartelijk, zonder aanstellerij.

Het was behoorlijk druk in de salon. Met haar glas in de hand is ze tussen de groepjes mensen doorgewandeld, overal een praatje makend. Ze kreeg complimentjes over de goede ontvangst, over het heerlijke gebak en vooral over de mooie japon die ze droeg. Voor 't eerst is het haar opgevallen hoe overdreven die vleierij soms was. Het leek wel theater. Ze weet dat het vaak zo toegaat in hun kringen. En zelf heeft ze bijna altijd meegedaan met dat toneel. Maar gisteren had ze daar opeens geen behoefte meer aan. Want ze herinnerde zich de oneerlijke vleierij van jonker Jacob. Ze weet nu wat dergelijke praatjes waard zijn! Bovendien heeft ze een week geleden, op de eerste kerstdag, gemerkt wat er écht toe doet: eerlijke vriendschap, warme belangstelling. Het bezoek van Jan Anne en Sjoerd heeft haar de ogen geopend.

„Juffrouw Agatha!"

Er wordt hard en driftig op haar deur geklopt. Aagje ontwaakt uit haar mijmeringen.

„Kom binnen."

Feikje opent de deur.

„Wat is hier aan de hand?" vraagt Aagje boos. „Kan dat niet wat zachter?"

„Juffrouw Agatha, Folkert is beneden. Uw vader is onwel geworden. Of u meteen naar de smederij wilt komen."

Aagje schiet overeind.

„Papa? Wat heeft hij?"

„Dat weet ik niet. Maar er is wel haast bij. Zal ik u helpen met aankleden?"

„Nee, ik red me wel."

Haastig schiet ze in haar kleren. Beneden in de hal staat Folkert van de ene voet op de andere te wiebelen. Is het de bedoeling dat hij meteen teruggaat naar de smederij, of moet hij op juffrouw Agatha wachten?

„Loop als de wind naar de dokter Folkert."

„Oege is er al naartoe."

Ze trekt haar mantel aan, zet een muts op en haast zich vol angstige gevoelens naar de werkplaats. Folkert komt tien passen achter haar aan. Als ze de smederij binnenkomt is ze verbijsterd door wat ze ziet. Daar ligt haar vader op de grond, met de dokter geknield naast hem. Papa, die altijd een steun in haar rug was, degene die haar het meest nabij is van alle mensen, degene die om haar geeft. Ze begint te beven van ontzetting, het is of haar knieën haar niet meer overeind houden. Vóór ze in elkaar zakt vangt Wicher haar op.

Hij zet haar op een kruk en ondersteunt haar, zodat ze er niet af kan glijden.

Aagje probeert zichzelf weer in de hand te krijgen. Maar het trillen houdt niet op. Vol ontzetting kijkt ze naar haar vader. Gaat hij dood? Het lijkt haar of het uren duurt.

Wiardus' gezicht ontspant zich.

„Ik geloof dat de pijn minder wordt," zegt de dokter. „Rustig maar, het komt wel goed."

Een kwartier later doet Wiardus zijn ogen open en kijkt de dokter aan.

„Gaat het wat beter?"

„Ja."

„Dan zullen we u naar huis brengen. Spant u zich zo min mogelijk in."

Hij kijkt naar Folkert.

„Zeg tegen mijn koetsier dat hij zich gereed houdt."

Dan knikt hij naar Oege.

„En helpt u mij om meneer Roorda te ondersteunen."

Heel voorzichtig wordt de patiënt naar buiten gebracht en in het koetsje van de dokter geholpen.

Wicher houdt nog steeds zijn arm om Aagje heen. Ze is helemaal van slag.

„Zal ik u naar huis brengen?"

„Heel graag," bibbert Aagje.

Wicher kijkt naar de anderen.

„Ga maar verder met solderen, Oege. En Folkert, maak jij dat gietwerk af."

„Moet ik niet wachten tot u terug bent?"

„Nee, je kunt het best."

Als ze buiten komen ademt Aagje gretig de frisse winterlucht in.

„Lukt het?" vraagt Wicher. „Geeft u mij maar een arm."

Ze doet het maar al te graag, zo wankel staat ze nog op haar benen. Wicher haast zich niet. Hij geniet van deze ogenblikken, ook al zijn de omstandigheden nog zo treurig.

Wiardus moet rusten van de dokter. Geen enkele inspanning, geen bezoek. Ook geen berichten waardoor hij van streek zou raken. Aagje en Marije komen regelmatig bij hem zitten. En Bouke zorgt dat het vuur in de haard blijft branden. Ook dat is voorschrift van de dokter, het mag niet te koud worden in de slaapkamer. Na een week worden de teugels gevierd. Wiardus mag opstaan en een poos in zijn stoel bij de haard zitten. Als dat goed gaat krijgt hij toestemming om naar beneden te gaan.

Twee weken gaan voorbij. Wiardus voelt zich gaandeweg beter. Hij wordt vertroeteld door het personeel en hij heeft de warme aandacht van zijn dochters. Wat zou hij nu graag in zijn smederij rondkijken. Even bij de vertrouwde werkbank staan, het gereedschap aanraken, de houtskool zien gloeien in de oven. En naar het kabinet gaan om alle prachtige voorwerpen te zien die ze gemaakt hebben in de afgelopen tijd. Maar zolang het wintert mag hij van de dokter geen stap buiten de deur zetten. Zelfs een wandeling in de tuin wordt hem verboden. Pas als het lente is!

Het gewone leven komt weer dichterbij en doet een beroep op hem. Wicher Aykema vraagt belet. Hij houdt de smederij op gang en heeft een paar dringende vragen. Kunnen ze nieuwe opdrachten aannemen? Moet hij zelf met de mensen afrekenen die hun bestellingen komen ophalen, of moet daarmee gewacht worden? De borax raakt op en straks is er geen wijnsteen meer.

„Ik geef je in alles de vrije hand Aykema."

„Goed meneer. Ik zal dan wel minder aan mijn eigen werk toekomen."

Aagje zit erbij. Ze draagt een oplossing aan.

„Laat mij helpen papa. Ik kan die bestellingen toch wel regelen. Als Wicher mij wegwijs maakt."

„Wil je dat echt?"

„Natuurlijk, het lijkt me niet moeilijk. Dan kan ik gelijk de boeken bijhouden."

Zo spreken ze het af.

In de loop der weken merkt Wiardus dat hij het werk rustig uit handen kan geven. Er is een goede samenwerking tussen Aagje en Wicher, ze begrijpen elkaar uitstekend. Zijn dochter blijkt duidelijk koopmanstalent te hebben. Ze gaat zelfs helpen bij de verkoop van de zilveren voorwerpen in het kabinet, iets wat Wiardus altijd zelf deed. Klanten die iets willen aanschaffen mogen een afspraak maken met juffrouw Roorda. Ze ontvangt hen met alle wellevendheid en doet intussen goede zaken. Wiardus is blij met deze ongekende gave van zijn dochter. Aagje zelf geniet er ook van. Ze heeft het gevoel dat ze iets betekent. Gaandeweg begint ze Wichers vakmanschap te waarderen en geniet ze van zijn eerlijke vriendschap. Vaak moet ze denken aan dat vreselijke moment daags na nieuwjaar, toen ze dacht dat haar vader stervende was. Wat was Wicher haar toen tot steun!

Op een dag zegt ze 's avonds bij het eten:

„Papa, zou het niet goed zijn als u een jongste knechtje in dienst nam? Ik zie dat Folkert de vloer aanveegt en de blaasbalg hanteert, en al dat soort dingen."

Wiardus kijkt haar verwonderd aan en knikt dan goedkeurend.

„Tja, ik denk dat je gelijk hebt."

Aagje lacht:

„Weet u dat Folkert die theebus gegraveerd heeft?"

„Ja, is hij daarmee klaar?"

„Gisteren kreeg hij hem af. En vanmorgen heb ik hem verkocht voor twaalf zilveren rijders. Die klant vond hem prachtig."

„Wel wel." Wiardus moet het even op zich in laten werken. „Het lijkt me inderdaad verspilling als Folkert het werk van een leerjongen blijft doen. Wil je aan Wicher vragen of hij uit wil zien naar een knechtje?"

Marije is het er helemaal mee eens.

„Folkert kan echt een goede zilversmid worden hè papa?"

„Het kán," beaamt Wiardus voorzichtig, „de toekomst zal het leren."

De toekomst, denkt hij, zal ik daar nog iets van zien? Krijg ik nog wat tijd van leven?

Marije heeft goed nieuws.

„Vanmiddag was ik bij Dieuwertje. Jiske begint nu eindelijk te groeien, je kunt zien dat ze wat sterker wordt."

„Daar ben ik blij om," zegt Wiardus. „Ik hoop van harte dat het kindje in leven blijft."

„Moeder Janna denkt dat ze het zal redden."

Nog een stukje toekomst, denkt Wiardus. Ook dat zou ik graag meemaken.
„Mag de kleine al naar buiten?" vraagt hij.
„Als het lente is," weet Marije.

Aagje is alleen in de groene kamer als de knecht van de schout een brief brengt. Ze geeft de man een fooi, gaat met de brief in de vensterbank zitten en maakt hem open. Als het een bestelling is zal ze dat met Wicher bespreken. Maar misschien is het een teken van meeleven met papa en een wens voor spoedig herstel. Zulke brieven zijn er nogal wat gekomen. Ze doen haar vader goed. Maar de brief die ze nu in handen houdt gaat over heel iets anders. Ze moet hem twee keer lezen voor ze alles begrijpt. De schout heeft bericht gekregen vanuit het Oost-Indië Huis in Amsterdam. Een zekere Murk Dirksz. heeft in het jaar 1730 aangemonsterd bij de Compagnie. Hij ging als soldaat naar Indië, waar hij een half jaar lang dienst deed bij de beveiliging van het fort in Batavia. Daarna is hij bezweken aan inlandse koortsen. De soldij die hij nog tegoed had is gebruikt voor een christelijke begrafenis.
Aagje denkt na. Murk, hun huisknecht. Wat is dat lang geleden. Zeventiendertig, staat er in de brief. Hetzelfde jaar waarin het met IJsbrand de verkeerde kant op ging. Papa stuurde hem naar de Oost, hoewel mama daar falikant op tegen was. Wat ging ze tekeer bij het afscheid! Aagje herinnert zich de kille, gespannen sfeer die daarna in huis hing. Moet papa nu, vijf jaar later, aan die moeilijke tijd herinnerd worden? 'Geen dingen die hem van streek maken', heeft de dokter gezegd. Papa kan deze brief beter niet lezen, denkt Aagje. Ze bergt hem op in haar bureautje, boven in haar eigen kamer, en gaat weer naar beneden. Vanavond komt Wicher. Ze verheugt zich erop. Wicher is een beminnelijk mens. Hij waardeert het werk dat ze doet, maar hij draagt haarzelf ook een warm hart toe. Soms maakt hij haar een complimentje, zonder ooit de afstand uit het oog te verliezen. Johannes komt vanavond ook. Met z'n vieren zullen ze alle lopende zaken bespreken. 'De vroedschap vergadert', zegt Marije wel eens.

Wiardus ligt klaarwakker in de nacht. Het overleg van de voorbije avond houdt hem nog bezig. Er was veel te bespreken. Hoewel het goed gaat in de smederij stapelt het werk zich op. Zelf heeft hij sinds die rampzalige dag aan het begin van het jaar niets meer kunnen doen. Wicher werkt hard, dat is duidelijk. Regelmatig komt er een nieuw werkstuk uit zijn handen. Ook Folkert en Oege doen hun best. Maar toch blijven er opdrachten liggen. Het meest dringend is eigenlijk wel het avondmaalsstel voor de kerk van Franeker. Wat heeft hij zich verheugd toen die opdracht binnenkwam. Iets te maken voor de dienst aan God! Dat is nog veel waardevoller dan alle kunstwerken die voor de rijken bestemd zijn. Hij is met zijn volledige inzet aan het werk gegaan. Dit moest mooier worden dan alles wat hij in zijn hele leven gemaakt heeft. De kroon op zijn werk. En nu is de taak hem uit handen geslagen. Want voorlopig kan hij niet naar de werkplaats. En wanneer het lente is, zal hij dan voldoende hersteld zijn? Volgens de dokter kan hij straks, bij goed weer, naar buiten voor een wandeling. Maar heeft hij dan weer de kracht om een hele dag achter de werkbank te staan? Wiardus maakt zichzelf niks wijs. Als hij hier thuis de trap is opgegaan is hij al doodmoe. De meeste dagen moet hij urenlang rusten. Vanavond heeft hij Wicher aangekeken en gezegd: „Jij moet dat avondmaalsstel maar maken, Aykema."

„Maar meneer!"

„Het is beter zo. Het zal me rust geven wanneer eraan begonnen wordt. Want al te lang kunnen we die mensen uit Franeker niet laten wachten."

Wicher heeft een poos verlegen voor zich uitgekeken. Toen zei hij: „Gelukkig hebt u het ontwerp al gemaakt."

Dat was troost voor Wiardus. Wicher begreep hoe moeilijk het was om de opdracht uit handen te geven.

Wiardus weet dat hij er verstandig aan deed. Toch doet het hem pijn. Niet alleen om dit ene werkstuk waar hij zich zo op verheugd had, maar omdat het lijkt of hiermee zijn hele levenswerk ten einde is gekomen. Het bezorgt hem een gevoel van leegte. Wat zal de tijd die hij nog toegemeten krijgt hem brengen? Hoe kan hij zijn dagen zinnig besteden?

Het antwoord komt vanzelf. Er zijn de mensen om hem heen,

voor wie hij zorgen kan. Zijn kinderen, zijn personeel. En die éne, van wie hij vroeger zo hartstochtelijk veel gehouden heeft, die dappere vrouw die haar kind, hún kind, alleen heeft grootgebracht. Hij denkt aan haar met respect en diepe genegenheid. Veel kan hij niet voor haar betekenen. Want niemand mag weten wat er vroeger gebeurd is. De mensen zijn zo wreed en onnadenkend. Ze zouden haar erom minachten en de omgang met haar vermijden.

Wiardus denkt aan Aagje. Straks, als hij er niet meer is, blijft ze alleen achter met de zorg voor het huis, voor Marije, voor de smederij. Had ze maar een flinke echtgenoot om haar tot steun te zijn. Maar nog steeds weet ze niet met wie ze wil trouwen. Op haar feest, in november, draaiden er genoeg jongemannen om haar heen. De meesten vindt Wiardus opgeprikte zwetsers. Niks voor Aagje, die ook de neiging heeft om gewichtig te doen. Hoewel, de laatste tijd is ze veranderd, hij ziet het met vreugde. Ze is gewoner, en hartelijker. De scherpe kantjes, die ze stellig van haar moeder heeft overgenomen, zijn er af, ook al kan ze nog best eens venijnig uit de hoek komen. Wat ze nodig heeft is een serieuze, flinke man. Zou Johannes geschikt zijn? Die staat met beide benen op de grond en geeft weinig om uiterlijkheden. Een harde werker, die het nog ver zal brengen. Dat hij onbemiddeld is vindt Wiardus geen probleem. Straks zal Aagje een grote erfenis krijgen, waarvan ze royaal kunnen leven. Johannes zal wel zorgen dat Aagje haar rijkdom niet zal verkwisten. Zou Aagje iets voor een verbintenis met Johannes voelen? Ze heeft wel waardering voor hem, dat heeft hij vanavond gemerkt. En toen Johannes bij hen kwam dineren, in december, liepen de gesprekken tussen hem en Aagje heel ontspannen. Wiardus herinnert zich hoe ze naar zijn werk vroeg, en hoe welwillend Johannes daarop inging. Ja, Johannes zou een geschikte man voor haar zijn. Hij zal de jongelui eens voorzichtig polsen.

Over één ding was Wiardus wel verbaasd. Marije heeft zich de hele afgelopen avond niet laten zien. Zelfs met de koffie kwam ze er niet bij zitten. Vóór ze naar bed gingen heeft hij 't haar gevraagd:

„Waar zat je toch, heel de avond?"

„In de keuken."
„Wilde je niet bij ons zijn?"
„Jawel. Maar ik heb Folkert mijn tekeningen laten zien. Hij mag een koffiebus graveren en daarvoor wilde hij een ontwerp tekenen. Net als voor die theebus, maar nu van de koffieplant."
„En had je daar de hele avond voor nodig?"
„Nee. Maar we hebben samen zitten ontwerpen. Dat vindt u toch wel goed?"
„Och ja, maar toch, een hele avond. Je moet niet al te intiem worden met Folkert."
„Ik zal het onthouden papa, weest u maar niet bezorgd."
Wiardus glimlacht. Hij begrijpt zijn jongste zo goed. Als je eenmaal met een boeiend, nieuw ontwerp bezig bent dan staat de tijd stil.

Marije zit in de werkplaats van de glasgraveur. De vorige keer heeft ze met dunne lijntjes de omtrekken van haar ontwerp getekend. Een bloem, twee vlinders en een heleboel ranken. Nu wil ze de bloem opvullen. Ze heeft een fluwelen kussentje op schoot, waar ze het glas op neerlegt. Ze neemt de fijnste diamantgriffel en begint kleine lijntjes te krassen, vlak naast elkaar. Geen twee mogen elkaar raken. De meester kijkt mee over haar schouder en knikt goedkeurend. Marije werkt vol aandacht verder. Als het eerste bloemblaadje klaar is legt ze haar griffel neer. Nu moet ze even ontspannen. Als ze dat niet doet heeft ze straks een verkrampte hand en dan kan ze wel ophouden. Met een zacht penseeltje veegt ze het glasstof weg. Even kijkt ze naar de beide andere leerlingen. Eén van hen is nog maar pas begonnen. Een ongeduldige jongedame, die er maar niet aan kan wennen dat je het glasstof nooit weg mag blázen. „Als u het inademt, is dat heel ongezond," heeft de graveur haar al een aantal keren uitgelegd. Vandaag moet ze aan een eenvoudig scheepje werken.
„Niet alles volkrassen," zegt de meester, „kijkt u eens goed waar het licht valt."
Marije glimlacht. Zo is zij ook begonnen, een paar jaar geleden. Ze is blij dat ze de techniek intussen heeft leren beheersen. Nu kan ze al haar aandacht besteden aan het uitwerken van haar ont-

werpen. Ze heeft al weer een nieuw idee, iets met een druiventros.

Ze pakt haar stift en begint aan het tweede bloemblaadje. Als het tijd is om op te houden zet ze het glas op de plank, schudt haar kussentje uit boven de afvalbak en bergt haar griffel zorgvuldig op. De bril gaat af, haar stevige schort wordt op de haak gehangen en ze is weer de keurige jongedame.

„Tot de volgende keer, juffrouw Roorda."

„Tot overmorgen, meester."

Vóór ze naar huis gaat loopt ze naar de bontwinkel in de Sacramentsstraat. Moeder Janna is in gesprek met een klant.

„Loop maar verder Marije. Wil je even naar het vuur kijken?"

Marije trekt haar mantel uit, gooit een turf op het vuur en kijkt hoe de vlammen omhoog schieten. Zou ze dat ook kunnen graveren? Het lijkt moeilijk, vlammen zijn zo beweeglijk. Maar toch... Vanavond zal ze eens een tekening maken.

„Fijn dat je langskomt Marije. Wil je thee?"

„Heel graag."

„Hoe gaat het met je vader?"

„Op sommige dagen is hij nog vreselijk moe."

„Ik heb hem na nieuwjaar nog niet in de kerk gezien."

„Hij mag van de dokter niet naar buiten. Pas als het lente is. Dat is wel een straf voor hem!"

„Ik kan 't me voorstellen. Wat doet hij zo'n hele dag?"

„Hij leest wat en hij rust erg veel. Verder houden zijn dochters hem natuurlijk dikwijls gezelschap."

Janna lacht.

„Daar knapt hij zeker van op. Mag hij bezoek hebben?"

„Niet te veel en niet te lang."

Marije drinkt van haar thee.

„Ik wil u iets vragen, moeder Janna. De dokter zegt dat papa een versleten hart heeft, daar is geen medicijn voor. Maar misschien hebt u nog wel iets wat hem helpen kan."

„Misschien, ja. Een aftreksel van gerstekorrels is versterkend voor het hart. Dat zal ik in elk geval maken. Kun je het over twee dagen op komen halen?"

„Natuurlijk, u bent geweldig. Dan kom ik weer na de graveerles."

Ze drinken nog een kop thee. Dan gaat Marije tevreden naar huis. Janna doet haar winkel op slot en loopt naar de molenaar om een zakje gerst.

's Avonds aan tafel vertelt Marije van haar bezoek.
„En papa, vrouw Gerbrandy vroeg heel belangstellend hoe het met u ging. Ze had u in de kerk ook gemist."
„De dominee komt regelmatig langs, zodat ik niets tekort kom. Heb je dat verteld?"
„Nee, daar had ik niet aan gedacht. Vrouw Gerbrandy beloofde dat ze een aftreksel van gerstekorrels voor u zal maken. Dat is versterkend voor het hart."
Wiardus kijkt verrast op.
„Dat is buitengewoon vriendelijk van haar."
„Toch zou het wenselijk zijn als je daar niet meer over de vloer kwam Marije," klinkt opeens de snibbige stem van Aagje.
Verbaasd kijken de beide anderen haar aan. Wat mankeert Aagje opeens? Ze was de laatste tijd juist een stuk vriendelijker.
„Waarom zou ik niet bij vrouw Gerbrandy komen?" vraagt Marije koel.
„Omdat ze niet deugt. Vóór ze met die timmerman trouwde was ze al een half jaar zwanger van een ander. Die Gerbrandy was heus niet de vader van Jan Anne."
Marije wordt woedend.
„Begin jij nu ook al met die gemene praatjes? Vrouw Gerbrandy is een voortreffelijk mens. Ik begrijp niet hoe die leugens in de wereld komen."
„Leugens? Het is de waarheid. Ik heb het gisteren gehoord van Minke Douwes. Haar kookster komt uit Harlingen. Een wat oudere vrouw, die er alles van weet."
„Lasterpraat!"
„Het is de waarheid Marije. Je kunt daar echt niet meer komen. Die vrouw is geen omgang voor een eerbare jongedame."
Wiardus zit erbij met een krijtwit gezicht en happend naar adem. Marije ziet het.
„Papa! Gaat het niet goed met u?"
„Laat Bouke mij naar boven helpen," fluistert Wiardus.

Aagje rinkelt geënerveerd met de tafelbel. Marije holt de kamer uit, de trap af naar de keuken.

„Bouke, is Bouke hier? Papa heeft hem nodig."

De knecht duikt op uit de voorraadkelder. Zodra hij Marijes angstige gezicht ziet vliegt hij naar boven.

„Is het niet goed met je vader?" vraagt Titia bezorgd. „Moeten we iets doen?"

„Hij zag opeens zo wit, hij wil meteen naar bed."

Marije haast zich naar boven. Samen met Bouke helpt ze haar vader de trap op, tot aan zijn slaapkamerdeur. Dan gaat ze terug naar de eetkamer. Aagje zit nog aan tafel, helemaal uit het lood geslagen. Marije heeft geen medelijden met haar.

„Dat was wel zeer onnadenkend van je, om zo ineens over vrouw Gerbrandy tekeer te gaan. Papa was helemaal van streek."

„Mag de waarheid niet gezegd worden?" vraagt Aagje bits.

„Het ís de waarheid niet, het zijn platte leugens."

„O ja? Hoe weet jij dat?"

„Omdat ik vrouw Gerbrandy ken. Ze is door en door fatsoenlijk."

Aagje lacht schamper.

„Wat je maar fatsoenlijk noemt."

Nu wordt Marije echt woedend.

„En weet je wat ík vind? Dat je zulke dingen over een ander rondvertelt, dát is pas onfatsoenlijk. En als papa weer ziek wordt dan is dat jouw schuld!"

Ze keert haar zuster de rug toe en gaat naar boven, naar haar eigen kamer.

Aagje blijft in hevige verwarring achter. Als papa weer ziek wordt... en het niet overleeft! Het zou háár schuld zijn? Ja, maar ook van Marije, die zo ongewoon fel uit de hoek kwam. Maar toch, zíj is begonnen. Dat had ze niet moeten doen.

In haar angst durft Aagje iets dieper na te denken over zichzelf. Ze was vol goede voornemens. Maar vanavond is daar niets van terechtgekomen. Waarom begon zij eigenlijk met die heftige beschuldigingen? Vind ze het echt zo belangrijk dat die vrouw vroeger mogelijk een misstap heeft begaan? Waarom moest ze vrouw Gerbrandy zo naar beneden halen? Aagje roert met haar mes in het koud geworden eten op haar bord, zonder te merken wat ze doet. Opeens ziet ze het. Ze is jaloers! Er is tussen Dieuwertje en vrouw Gerbrandy een hechte, warme band en een grote vertrouwelijkheid. Iets wat zijzelf mist. Ze kent nauwelijks die genegenheid van familieleden of vriendinnen. Alleen papa is er, verder niemand. Voor een deel is het haar eigen schuld, ze weet het. Ze kan hooghartig neerkijken op een ander, een hard en medogenloos oordeel uitspreken. Daardoor houden mensen afstand.

Jaren geleden heeft ze op die manier Dieuwertje aan de kant gezet. Dieuwertje, die zo'n gezellige, goede vriendin was. Toen er armoede kwam in het gezin Douma vond ze Dieuwertje niet langer de moeite waard. Doordat ze zelf in weelde kon leven voelde ze zich ver verheven boven het gewone volk. Haar rijkdom heeft haar niet gelukkig gemaakt. In een bepaald opzicht is Dieuwertje rijker dan zij.

Aagje denkt opeens aan de beide keren dat ze zo vreemd droomde over dat grote huis waar ze eenzaam en verloren ronddwaalde. Haar wanhopige zoeken naar de uitgang, omdat ze er uit weg wilde. Eénmaal zag ze Marije bij de uitgang staan. Is dat een antwoord? Kan ze van Marije iets leren? In elk geval laat haar jongere zus zich niet in het keurslijf dwingen dat bij de hogere standen hoort. Marije neemt de vrijheid om haar eigen leven te leven. Ze gaat daarin dikwijls te ver, maar toch. Zit zij zelf te veel gevangen in al die maniertjes die haar vrienden en vriendinnen zo belangrijk vinden?

Aagje zucht, ze wil de kring mensen die ze om zich heen weet niet verliezen. Maar... ze hoeft niet overal in mee te gaan. Waarom heeft ze eigenlijk geluisterd naar die platte praatjes van Minke? Marije heeft gelijk, dát was pas onfatsoenlijk. En hier aan tafel heeft ze die roddels doorverteld. Opeens schaamt ze zich diep.

Feikje klopt op de deur.

„Kan ik afruimen juffrouw Agatha? En moeten we iets voor meneer klaarmaken? Iets te drinken misschien?"

„Ja, ruim de tafel maar af. Als er iets nodig is dan hoor je dat wel."

Marije staat in haar slaapkamer en kijkt in de schemerige tuin zonder veel te zien. Die arme papa. Wat zag hij er ontdaan uit. Ze luistert naar de geluiden in de kamer naast de hare. Bouke is heel zorgzaam, dat heeft ze de laatste weken gemerkt. Ze hoort zijn donkere stem die af en toe iets vraagt. Een lade wordt opengetrokken, een stoel verschoven. Na een poosje hoort ze hem de trap afgaan.

Ze loopt haar kamer uit, klopt zachtjes bij haar vader aan en gaat naar binnen. Hij ligt met gesloten ogen in de kussens. Marije vindt dat hij er oneindig moe uitziet. Voorzichtig gaat ze op de stoel naast zijn voeteneinde zitten. Hij doet zijn ogen open en glimlacht.

„Marije."

„Ligt u goed papa?"

„Uitstekend."

„Gaat het weer?"

„Ja."

„Geen dokter nodig?"

„Nee hoor."

Verder wordt er niet gepraat. Wiardus heeft zijn ogen weer gesloten. De glimlach speelt nog om zijn lippen. Marije denkt aan de praatjes over moeder Janna. Die komen dus bij Minke Douwes vandaan. Nou, dan heeft straks heel Leeuwarden ze gehoord. Het zal moeder Janna veel schade doen. Voor de bontwinkel is dat ook niet goed. En wat gebeurt er als Dieuwertje en Jan Anne ervan horen?

Het zal ze pijn doen, of die roddels nu waar zijn of niet. Achterklap haalt altijd iemand naar beneden. Geen wonder dat papa van slag was. Hij is zo op dat tweetal gesteld. Of het zijn eigen kinderen zijn. Marije lacht in zichzelf.

Bouke brengt een glas wijn boven en verzorgt het vuur. Wiardus nipt van zijn glas.

„Hoe was het bij de glasgraveur Marije?"

„Goed papa. Ik ben met de invulling van de bloemen begonnen."

„Doe je de ranken het laatst?"

„Dat denk ik wel. De voelsprieten zullen ook lastig zijn."

„Ik ben benieuwd."

De wijn is op. Wiardus wil slapen. Marije geeft hem een kus op zijn voorhoofd en gaat zacht de kamer uit.

10

In de kleine zijkamer zit Johannes te schrijven. Er is minder voor hem te doen sinds Aagje voor de bestellingen zorgt. Hij is er niet rouwig om. Nu is de kans dat hij Marije ontmoet kleiner. Hoe minder hij haar ziet, des te eerder zal hij de gedachte aan haar uit zijn hoofd zetten. Want denken aan Marije doet hem nog steeds pijn. Een enkele keer kwam ze bij Dieuwertje binnen toen hij daar ook was. Het verlangen naar haar zette hem meteen in vuur en vlam. Heeft ze er iets van gemerkt? Ze doet anders tegen hem, de laatste tijd. Gereserveerd, bijna koel. Heeft ze geraden hoe zijn gevoelens zijn? En geeft ze hem nu duidelijk te verstaan dat hij zich niets in zijn hoofd moet halen?

Er wordt geklopt. Feikje brengt hem een kop koffie. Er is een stuk gebak bij.

„Nou nou Feikje, je verwent me."

„Meneer Johannes, ik zou u iets willen vragen."

„Dat kan."

„Als u tijd hebt tenminste."

„Natuurlijk heb ik tijd voor je."

Hij veegt zijn pen schoon en schroeft het deksel op de inktkoker.

„Het gaat over Murk. Die is nu al vijf jaar weg. Ik weet eigenlijk niet of ik nog steeds met hem getrouwd ben."

„Vind je het belangrijk om dat te weten?"

Feikje krijgt een kleur als een pioenroos.

„Aha, er is iemand die jou het hof maakt."

„Denkt u er alstublieft niks verkeerds bij. Jorrit en ik willen graag trouwen, maar we weten niet of dat wel mag."

„Ja, ik begrijp het," zegt Johannes nu ernstig.

Hij heeft Murk in vroegere jaren wel meegemaakt, hij weet van diens veroordeling en vlucht.

„Ga maar even zitten Feikje."

„Maar meneer!"

Feikje heeft haar manieren geleerd. Een dienstbode gaat nooit zitten in aanwezigheid van haar meerdere.

„Doe het toch maar, dan kan ik beter nadenken. Eens kijken, er

zijn in de wet twee redenen waarom iemand mag scheiden. De ene is overspel."
Vragend kijkt hij haar aan. Ze schudt heftig van nee.
„Vast niet. Tenminste niet dat ik weet."
„De andere reden is moedwillige verlating."
„Hoe bedoelt u?"
„Als één van de beide echtelieden weggaat zonder reden. En wegblíjft. Dat is dus hier het geval."
„Er was reden genoeg voor Murk," zegt Feikje snedig.
„Ja, om uit het blokhuis te ontsnappen en de stad te verlaten. Natuurlijk. Maar voor de wet geldt dit ook als moedwillige verlating van de vrouw."
„Dus ik ben nu geen getrouwde vrouw meer?"
„Ja, dat ben je nog wel. Maar je kunt vragen of je huwelijk ontbonden wordt."
„Aan wie moet ik dat vragen?"
„Aan de rechter."
„O, dat durf ik nooit."
Johannes glimlacht.
„Daar wil ik je wel bij helpen. Je moet duidelijk kunnen aantonen hoe lang die man van je al weg is."
Daar hoeft Feikje niet over na te denken.
„In oktober was het vijf jaar geleden."
„Juist ja, dat is misschien wel lang genoeg. En je hebt nooit meer iets van hem gehoord?"
„Nee meneer."
„Dus je weet zijn verblijfplaats ook niet?"
„Nee, maar we hebben wel een brief geschreven naar Amsterdam, naar het Oost-Indië Huis."
„Hoezo?"
„Omdat Willem, de neef van Jorrit, dacht dat Murk misschien bij de Compagnie in dienst was gegaan. Dat doen veel mensen die eh..."
„Voor het gerecht op de loop zijn. Een goed idee van die Willem. Is er al een antwoord gekomen?"
„Nee, nog steeds niet."
„En wanneer is die brief geschreven?"

„Vlak na Sint Nicolaas."

„Dan had het antwoord er zo langzamerhand wel kunnen zijn. Welk adres hebben jullie opgegeven?"

„Dat van neef Willem. Hij is schoolmeester. U laat uw koffie toch niet koud worden?"

„Nee, dat zou jammer zijn."

Johannes drinkt nadenkend van zijn koffie.

„Feikje, ik zal er over nadenken. Als jullie intussen bericht ontvangen dan hoor ik dat wel hè?"

„Natuurlijk meneer. En wilt u er met niemand over praten?"

„Vanzelf niet."

Het minste wat hij doen kan is nog eens een brief schrijven, vindt Johannes. Mogelijk is de vorige zoekgeraakt. Tot zijn verrassing heeft hij na twee weken al antwoord: Een schrijven over Murk Dirksz is naar de schout van Leeuwarden gegaan, omdat genoemde Dirksz onder diens rechtsgebied viel. Meester Douma wordt aangeraden om met de schout in contact te treden.

Johannes nodigt Albarda, de onderschout, uit in het koffiehuis. Eerst wisselen ze de laatste nieuwtjes uit.

„Weet je dat de Prins en de Prinses onze stad tweehonderd gulden hebben aangeboden? Daar mogen we een brandspuit voor kopen," zegt Albarda.

„Zo'n nieuwerwets ding? Heel wat beter dan dat doorgeven van emmertjes," vindt Johannes.

„Beslist! Maar de burgemeesters maken er ruzie over. Fenema wil niet afhankelijk zijn van het Hof. 'Vandaag geeft de Prins een brandspuit en morgen wil hij onze magistraten benoemen', zegt hij."

„Wat een dwaas argument! Iedereen is toch gebaat bij een goed blusapparaat. Je weet zelf hoe snel een brand om zich heen kan grijpen. En ik verwacht niet dat de vlammen zullen stilstaan bij het Stadhouderlijk Hof."

„Burgemeester Arnoldi was ziedend. Hij vond het een regelrechte belediging van de Prins en zijn vrouw."

„Ik ben benieuwd wie er zijn zin zal doordrijven," zegt Johannes.

„Ik denk Fenema. Hij is fel tegen Oranje."

Johannes roert de kandij door zijn koffie. Hij denkt aan het probleem waar Feikje en haar aanbidder mee zitten.

„Ik zit met een geval van moedwillige verlating, Albarda. Heb jij dat wel eens meegemaakt?"

„Een paar keer. Eenmaal ging het om een marskramer die de stad uitging en nooit meer terugkwam. Zijn vrouw ging uit stelen om aan de kost te komen. Tenslotte zijn de kinderen in het weeshuis ondergebracht.

De vrouw kwam in het spinhuis terecht. Als ze door de week genoeg wol had gesponnen, mocht ze op zondagmiddag haar kinderen bezoeken."

„En de marskramer kwam nooit terug?"

„Nee. Ik herinner me ook nog het geval van een man die dienst nam in het leger van de een of andere Duitse vorst. Hij raakte krijgsgevangen en kwam pas na vier jaar terug. Tot zijn verbazing had hij er twee kinderen bij, maar het echtpaar heeft toch nog een aantal gelukkige jaren met elkaar gehad."

Ze lachen er allebei om.

„Het kan ook zijn dat een man op de vlucht gaat om zijn straf te ontlopen," zegt Johannes. „En die mensen zie je van z'n leven niet meer terug. Ik heb gehoord dat ze dikwijls aanmonsteren bij de Compagnie."

„Inderdaad, daar kijken ze niet zo nauw."

„Ik vraag je dit in verband met de vroegere huisknecht van meneer Roorda," zegt Johannes. „Hij schijnt ook bij de Compagnie in dienst te zijn geweest. De schout heeft kortgeleden bericht over hem gekregen."

„Dat klopt. Hij ging naar Indië, als soldaat. Daar is hij gestorven aan inlandse koortsen."

„Is Murk dood? Moet meneer Roorda daar geen bericht over hebben?"

„Dat heeft hij gehad. Ik heb zelf de brief geschreven, in opdracht van de schout. Heeft meneer Roorda je daar niets over verteld?"

„Meneer Roorda is ziek."

„Ach ja, dat is waar ook. Hoe is het nu met hem?"

Het gesprek gaat een andere kant op. Maar Johannes weet genoeg. Hij trakteert op een tweede kop koffie en gaat welgemoed naar huis.

De volgende dag wandelt hij naar de Nieuwestad en vraagt of hij meneer Roorda een ogenblik kan spreken. Onder vier ogen graag. Wiardus ontvangt hem in zijn comptoir. Johannes informeert eerst naar de gezondheid van zijn werkgever:

„Ik hoorde dat u een terugslag hebt gehad."

„Het gaat weer beter," stelt Wiardus hem gerust.

„Dan durf ik u wel lastig te vallen met een kleinigheid. Het gaat over uw vroegere huisknecht, Murk. Hij is naar Batavia vertrokken en daar is hij bezweken aan een inlandse ziekte."

„Zo, daar kijk ik van op. We hebben al die jaren niets meer van hem gehoord. Begrijpelijk trouwens, van zijn kant uit bekeken." Wiardus glimlacht wrang.

„De schout heeft u een brief geschreven over Murks dood."

„O ja? Ik weet niets van een brief. Maar wacht eens, dan heeft Aagje die natuurlijk in ontvangst genomen."

Wiardus kijkt peinzend naar zijn handen. Johannes weet bijna zeker wat er in hem omgaat. De herinnering aan Murk, én aan IJsbrand. En vervolgens de gedachte aan Feikje, die moet weten dat die schavuit van haar niet meer leeft.

„Het is goed dat je gekomen bent Johannes. Ik zal er achteraan gaan."

Zodra Wiardus die middag alleen is met Aagje begint hij erover.

„Ik heb gehoord dat er een brief is gekomen van de schout."

Aagje kijkt verbaasd op van haar borduurwerk.

„Van de schout? O ja, dat is waar ook."

„Waar ging dat over?"

„Er stond in dat onze vroegere huisknecht naar Indië is gegaan. Daar is hij na een paar jaar gestorven."

„Waarom heb je me dat niet verteld?"

„U was ziek papa, u mocht niet van streek raken."

„Waarom zou dit mij van streek maken?"

„Omdat IJsbrand in diezelfde tijd is weggegaan. Ik wilde niet dat u daar weer aan zou denken."

„Dat is heel zorgzaam van je, Agatha. Maar je had het bericht wél aan iemand anders door moeten geven. Ik vraag me af of je dat gedaan hebt."

„Wie bedoelt u?"

„De vrouw die met Murk getrouwd was."

„O, Feikje. Ja, zij moet het natuurlijk ook weten. Daar had ik volstrekt niet aan gedacht."

„Wij zijn verantwoordelijk voor ons personeel, Aagje. En we hebben voor ze te zorgen, zoals ouders voor kinderen zorgen."

„Maar papa, het personeel heeft toch een heel andere positie."

„Zeker, maar onze zorg moet dezelfde zijn."

Aagje slaat haar ogen neer.

„Ik zal eraan denken papa."

„Doe dat. En nu wil ik graag die brief zien."

Aagje gaat naar boven. Ze voelt zich net een ondeugend kind dat op haar nummer gezet is.

Als Wiardus de brief gelezen heeft pakt hij de tafelbel en laat hem rinkelen. Hij overhandigt Aagje de brief.

„Wil jij het Feikje meedelen?"

„Maar papa, kan dat niet een andere keer?"

„Nee."

Feikje komt nietsvermoedend de groene kamer binnen. De familie zal wel thee wensen. Maar er wordt geen drinken besteld. Ze ziet de ernstige ogen van meneer Roorda op zich gericht, terwijl Juffrouw Agatha aarzelend naar woorden zoekt.

„Feikje, we hebben een bericht gekregen dat misschien heel onverwacht voor je is. Het gaat over Murk."

Feikje wordt bibberig in haar knieën. Bericht van Murk? Is hij dan nog in leven?

„Murk is naar Indië gegaan, in dienst van de Compagnie," zegt Aagje. „Daar is hij twee jaar later gestorven."

Eén moment staat Feikje verstomd. Dan dringt het tot haar door. Tranen beginnen over haar wangen te rollen. Ze probeert ze tegen te houden, maar er komen er steeds meer. Ze schaamt zich voor haar meerderen. Gelukkig is juffrouw Agatha niet boos.

„Kom kom," zegt ze vriendelijk, „daar hoef je toch niet zo verdrietig om te zijn?"

„Nee juffrouw Agatha," snift Feikje.

„Het is immers al zoveel jaar geleden," zegt Aagje troostend.
„Ja juffrouw Agatha, neemt u me niet kwalijk."
„Wil je horen wat er in de brief staat Feikje?" vraagt Wiardus.
„Graag meneer."
Wiardus leest de brief voor. Als hij opkijkt ziet hij iets opmerkelijks. Op Feikjes gezicht ligt een zeldzaam tevreden trek. Ze heeft haar tranen gedroogd en is weer helemaal zichzelf. Dus geen verdriet, denkt hij. Waarschijnlijk alleen maar opluchting.
„Je kunt wel weer gaan Feikje," zegt hij hartelijk. „Breng ons straks maar een kop thee."
„Ja meneer."
Feikje gaat rustig de trap af, al zou ze kunnen dansen. Titia is de eerste die het goede nieuws hoort.
„Ik vind het fijn voor je," zegt ze. „Wat zal Jorrit blij zijn."
„Ik zou zo wel naar hem toe willen rennen."
„Ga vanavond maar. Ik zorg wel voor de familie boven."
Feikje kan bijna niet wachten tot het zo ver is. Ze dient het eten op voor de Roorda's, ze eet samen met Titia en de twee knechten hun eigen eenvoudige maaltijd en daarna moet ze de vaat nog wassen. Het begint al te schemeren als ze haastig het tuinpad afloopt.
Jorrit hoort het nieuws en smoort haar bijna in zijn hartstochtelijke omhelzing.
„Famke famke, no kinne wij de lapen gearsmite." *)
Jorrits muoike staat er met tranen in haar ogen naar te kijken.
Feikje kan niet lang blijven.
„Ik breng je naar huis," zegt Jorrit.
„Kunnen we even langs de Molensteeg? Meneer Douma moet het ook weten."
Ze treffen Johannes niet thuis.
„Hij is naar Dieuwertje," zegt moeder Jitske.
„Kunnen we daar nog langs?" vraagt Feikje.
Jorrit vindt het best. Hij zou nog wel uren met zijn meisje aan de arm willen lopen. En nu mag iedereen het zien!
Bij het huis van Jan Anne en Dieuwertje blijft hij buiten staan

*) nu kunnen we gaan trouwen

wachten. Het is niet gepast als een knecht mee naar binnen gaat voor een boodschap.

Dieuwertje zit bij het vuur in de woonkeuken, met een slapende Jiske op schoot. Ze kijkt verrast op als Feikje binnenkomt.

„Dat is lang geleden. Had je een boodschap?"

„Ja, voor meneer Johannes."

„Je treft het niet. Hij is zojuist met mijn man weggegaan voor een wandeling. Ze hebben de lente geroken, die twee."

Feikje kan ervan meepraten. Haar bloed lijkt sneller te stromen. Ze is helemaal vol van het nieuwe dat haar wacht: een leven met Jorrit, een eigen plek en later misschien ook kinderen.

„Kan ik de boodschap overbrengen?" vraagt Dieuwertje.

Feikje aarzelt.

„Wilt u zeggen dat ik geweest ben?"

„Natuurlijk."

Jiske wordt wakker. Ze gaapt hartgrondig en doet haar oogjes wijd open. Grijsblauwe ogen, die onderzoekend de wereld in kijken.

„Ik ben blij dat het beter met haar gaat, juffrouw Dieuwertje."

Feikje hoeft hier niet de ondergeschikte dienstbode te spelen. Ze kent Dieuwertje al vanaf de tijd dat ze uit school met Aagje meekwam. Dieuwertje is niets veranderd, ze is nog steeds even hartelijk en gewoon als altijd. Nooit zal ze uit de hoogte doen, ook niet nu ze de vrouw is van een meester-meubelmaker.

„Ja, ze begint goed te eten. Elke week groeit ze," zegt Dieuwertje dankbaar. „Wil je haar even op schoot hebben?"

Feikje zou het graag doen. Maar buiten staat Jorrit op haar te wachten.

„Nee, ik moet gauw terug, ik heb geen permissie gevraagd vóór ik wegging."

„Kom dan nog maar eens langs als je meer tijd hebt."

„Heel graag juffrouw Dieuwertje." Feikje kijkt nog even naar het kleine mensenkind. „Weet u wat ik vind? Ze lijkt sprekend op juffrouw Marije. Nu moet ik echt gaan."

Glimlachend blijft Dieuwertje achter. Die Feikje. Dacht er niet bij na dat Marije alleen maar een lieve vriendin is, die geweldig geholpen heeft toen dat nodig was. Welke overeenkomst zou

Feikje gezien hebben? De ogen waarschijnlijk. Precies dezelfde kleur, dezelfde manier van kijken. Ze zal het Marije eens vertellen.

Aan het einde van een drukke ochtend wordt Johannes bij zijn werkgever geroepen.

„Ik heb hier een vertrouwelijk stuk voor meneer Roorda. Zou jij dat aan hem willen geven Douma? Ik kan het ook aan de knecht vragen maar ik geef het liever aan jou mee. Je komt daar toch regelmatig?"

„Ja meneer. Ik zal er voor zorgen. Is er haast bij?"

„Enigszins. Die pruik staat je goed, Douma." Waarderend kijkt Buwalda naar zijn assistent. „En dan nog iets. Heb je zin om zondag bij ons te komen dineren? We spreken elkaar overdag nauwelijks. En dan alleen nog maar over het werk. Mijn vrouw wil ook graag met je kennismaken."

„Graag meneer."

Voor zo'n uitnodiging kun je niet bedanken zonder uitermate onbeleefd te zijn.

Vol tegenstrijdige gevoelens loopt Johannes naar het huis van zijn moeder. Mevrouw Buwalda wil met hem kennismaken? Jazeker, maar er zijn daar ook twee dochters in huis. Hij kent ze oppervlakkig. Aardige jongedames van even in de twintig. Buwalda en zijn vrouw zoeken natuurlijk naar geschikte huwelijkskandidaten... Zou hij dat willen? Een van de dochters trouwen en te zijner tijd de opvolger van Buwalda worden? Zijn toekomst zou verzekerd zijn. Mismoedig schudt hij zijn hoofd. Er is er maar één die hij wil, nog altijd. Maar ze is onbereikbaar voor hem. Nee, die droom zal nooit werkelijkheid worden. Johannes zucht. Is het niet beter om de gedachte aan Marije voorgoed uit zijn hoofd te zetten en met een van de dochters van Buwalda in zee te gaan? Bij de keuze van een huwelijkspartner moet je met je verstand te rade gaan, dat weet iedereen. Het hart komt wel mee. Of niet. Daar heeft hij genoeg voorbeelden van gezien.

Moeder Jitske is in de winkel met een klant doende. Johannes loopt meteen door naar de keuken. Hij doet zijn hoed af, trekt zijn jas uit en haalt de pruik van zijn hoofd. De rest van de dag wil hij die niet meer dragen. De mensen die hem vanmiddag komen raadplegen zijn voor het merendeel eenvoudige lieden. En als hij naar meneer Roorda gaat hoeft hij zich ook niet deftiger voor te doen dan hij is.

Als ze achter hun eenvoudige maaltijd zitten zegt hij:

„Zondagavond hoeft u niet op mij te rekenen mem. Ik ben uitgenodigd bij Buwalda."

„Zo zo, bij de notaris." Peinzend kijkt ze hem aan. „Een hele eer. En hij heeft aardige dochters."

„Dat zal wel," gromt hij nukkig.

„Je bent niet erg toeschietelijk."

Hij haalt zijn schouders op.

„Ik zou net zo lief hier eten mem. Maar ik kon moeilijk nee zeggen."

„Ik zal je zondagse kleren uitborstelen."

Hij glimlacht toegeeflijk. Mem verwacht er heel wat van. Zelf neemt hij liever een afwachtende houding aan.

Het werk op zijn eigen kantoor zit erop. Hij wandelt naar de Nieuwestad en laat de klopper op de deur vallen. Feikje doet hem open.

„Komt u binnen meneer Johannes."

„Ik heb een brief voor meneer Roorda."

„Hij is in de groene kamer, ik zal u aandienen."

Wiardus is alleen. Hij kijkt verrast op als Johannes binnenkomt.

„Dat is nog eens aardig van je. Mijn dochters laten mij vandaag in de steek. Drink je thee met me?"

„Graag meneer."

„En zullen we een partij schaak spelen?"

Johannes stemt toe. Meneer Roorda heeft behoefte aan gezelschap en voelt zich kennelijk goed.

Feikje brengt de thee. Johannes zet het schaakbord klaar. Ze zijn aan elkaar gewaagd, maar vandaag maken ze allebei fouten. Het spel eindigt in remise.

„Dat hebben we wel eens beter gedaan Johannes."

„Ik ben in elk geval blij dat u er weer de moed voor hebt."

„Zeker, zeker, ik geniet van elke dag die me nog gegeven wordt.

Maar toch… ik denk aan later, als ik er niet meer ben."

„Ik hoop dat u nog lang bij ons zult zijn," zegt Johannes geschrokken. Hij beseft hoezeer hij gesteld is op de man die tegenover hem zit. Een werkgever, maar ook een goede vriend.

„Dat hoop ik ook," zegt Wiardus. „Maar straks blijven mijn kinderen hier alleen achter. Ik zou gerust mijn ogen kunnen sluiten als ik ze veilig in de huwelijkshaven zag."

Johannes knikt begrijpend. Een vrouw heeft bescherming en steun nodig.

„Weet je Johannes, ik heb wel eens overwogen… eerlijk gezgd zou ik jou graag als schoonzoon hebben. Maar ik weet niet hoe jij daarover denkt."

Het is Johannes of er een stevig gesloten deur voor hem openzwaait. Sprakeloos kijkt hij Wiardus aan. Hij slikt, hij slikt nog eens.

„Overval ik je hiermee?"

„Jazeker meneer. Ik had nooit verwacht dat u hierin zou toestemmen."

„Dus jij hebt er ook aan gedacht?"

Johannes voelt een laaiende vreugde in zich opkomen. Hij moet zich echter beheersen. Stotterend antwoordt hij:

„Ik eh… het idee heeft mij ook bezig gehouden."

Wiardus bekijkt hem geamuseerd. Hij vraagt:

„En waarom zou ik geen toestemming geven voor zo'n huwelijk?"

„Omdat ik niet tot uw stand behoor. Mijn vader was knecht in een bierbrouwerij, dat weet u."

„Ja, en jij bent een jurist en een flinke en verstandige man. Ik heb veel respect voor je Johannes en ik vertrouw mijn dochter graag aan je toe."

„Dank u wel meneer," zegt Johannes.

Hij is er ontroerd van en kijkt verlegen naar zijn handen.

„Eerlijk gezegd heb ik er nog niet met Aagje over gesproken," zegt Wiardus. „Dat zal ik zo gauw mogelijk doen."

„Aágje?" zegt Johannes geschrokken, „hoezo meneer?"

„Daar hadden we het toch over?"

„Maar ik bedoelde Marije!"

Nu is Wiardus van zijn stuk gebracht.
„Marije?" vraagt hij verbluft, „maar die is nog zo jong. Terwijl Aagje..."
Ja, Johannes weet het. Aagje komt eerst, die wordt al wat ouder. Maar voor haar voelt hij niets, helemaal niets.
„Ik wist niet dat je hart naar Marije uitging," zegt Wiardus na een stilte. „Ik heb daar nooit wat van gemerkt."
„Ik durfde ook niet te hopen dat u het zou toestaan."
„En zou Marije er voor voelen, denk je?"
„Ik weet het niet meneer."
„Ik zal er in elk geval met haar over spreken."
Wiardus leunt achteruit in zijn stoel, dodelijk vermoeid opeens. Johannes ziet het.
„Ik heb u laten schrikken," zegt hij beschaamd.
„Het overviel me Johannes. Maar ik ben blij dat ik het weet, zodat ik mijn maatregelen kan treffen."
Feikje dient een nieuwe bezoeker aan, de dominee. Johannes vindt dit een uitstekend moment om te verdwijnen. In de hal reikt Feikje hem zijn jas en zijn hoed aan. Ze fluistert:
„Meneer Johannes, we hebben bericht gekregen dat Murk is gestorven. In Indië."
Johannes ziet haar opgetogen gezicht.
„Ik ben blij voor je Feikje, ik heb het ook gehoord. Als ik ooit nog iets voor je doen kan, mag je me dat altijd vragen. Word ik op de bruiloft uitgenodigd?"
„Wilt u dat echt?"
„Jazeker."
Feikje is helemaal verrukt. Glimlachend loopt Johannes naar huis. Iedereen jaagt zijn eigen geluk na, denkt hij. Voor hemzelf gloort er weer hoop. Marije! Wat zal ze zeggen? Dan bekruipt de twijfel hem. Ze was zo gereserveerd de laatste maanden. Terwijl daarvóór?
Al die jaren van kameraadschap en goed begrip. Zelfs toen hij jongste knecht was in de brouwerij ging ze met hem om als met een broer. Nooit keek ze op hem neer. Hij zou zo naar haar toe willen gaan om het haar te vragen. Maar dat zou hoogst ongepast zijn. Hij moet wachten tot meneer Roorda met haar gesproken

heeft. En intussen moet hij bij de familie Buwalda op bezoek. Daar staat zijn hoofd absoluut niet naar!

Wiardus heeft tijd nodig. Hij moet verschrikkelijk wennen aan het idee dat zijn jongste zich zal verloven, ook al is dat met een man waar hij bijzonder op gesteld is. Marije is het kind dat 't meeste op hem lijkt. Ze heeft dezelfde kunstzinnige aanleg, ze is net als hij geïnteresseerd in alles wat mooi is. Bovenal voelt hij zich innerlijk sterk met haar verbonden, meer dan met wie ook. Van Aagje begrijpt hij bar weinig, ook al houdt hij best van haar.

Het idee dat Marije bij hem weg zal gaan benauwt hem. Hij wil haar helemaal niet afstaan aan een ander, hij wil haar bij zich houden zolang hij nog tijd van leven heeft. Zodra dat besef doorbreekt wordt hij zijn eigen rechter. Je bent een zelfzuchtige oude man, Wiardus. Als je van je dochter houdt dan gun je haar al het geluk van de wereld en heb je haar met een ruim hart weg te geven aan de man die goed voor haar zal zijn.

Het kost hem een lange nacht vóór hij met zichzelf in het reine is. Maar het besluit dat hij Marije zal laten gaan geeft hem ruimte. Het is goed, hij heeft er vrede mee.

Opeens kan hij erom glimlachen. Soms is Marije net een dartel veulen. Met al haar achttien jaar kan ze nog heel wild en onbezonnen doen. Maar goed, hoe was hij zelf toen hij zo oud was? Beslist niet de bedachtzame man die hij later werd, hij weet wel beter. Soms schaamt hij zich voor die onnadenkendheid uit zijn wilde jaren. Lijkt Marije hierin op hem? Ze heeft in elk geval ook een andere kant. Hij heeft gezien dat ze heel zorgzaam kan zijn, en op zijn tijd de juiste beslissingen neemt. Ja, Marije en Johannes, het lijkt hem wel. Zijn soms zo uitbundige dochter naast die rustige man. Na een week is Wiardus het helemaal met zichzelf eens.

Ze zitten 's avonds met z'n tweeën aan tafel, want Aagje is naar een bruiloft. Janneke Walta trouwt vandaag met jonker Jacob van Hasselaer. Aagje heeft haar mooiste kleren aangetrokken en is vanmorgen in een gehuurde koets naar het feest gereden.

„Misschien vindt ze daar wel de man naar haar hart," grapt

Marije. „Dat heb je vaker op bruiloften."
Hij lacht.
„Wie weet. En Marije, wie wordt de man naar jóuw hart?"
Op slag wordt Marijes gezicht weer ernstig.
„Dat weet ik niet papa. Ik heb nog alle tijd."
„Vind je? Deze zomer word je negentien. Oud genoeg om er over na te denken. Wat voor man zou je graag naast je hebben? Iemand als Jaldert?"
„O nee."
„Doeke Jansz?"
„Nee papa."
„Iemand als Johannes?"
Even lichten Marijes ogen op. Dan kijkt ze naar haar bord.
„Ja, iemand als Johannes, dat denk ik wel."
„Of Johannes zelf?"
Met grote ogen kijkt ze hem aan.
„Hij zélf? Maar dat kan toch niet."
„Waarom niet Marije?"
„Johannes beschouwt mij als een kind. Hij zoekt iemand die volwassen is."
„Weet je zeker dat hij jou niet wil?"
Marije krijgt tranen in haar ogen.
„U moet mij niet plagen papa."
„Ik plaag je niet Marije. Zou je met Johannes willen trouwen?"
Ze kijkt in zijn vriendelijke ogen en knikt beschroomd.
„Ja, ík zou dat wel willen. Maar hij heeft zijn oog op de dochter van Buwalda laten vallen."
Wiardus is stomverbaasd.
„Hoe kom je daarbij?"
„Hij is er zondag wezen dineren."
„Ja, en verder?"
„Nou ja, u weet hoe dat gaat. Buwalda wil hem graag als schoonzoon. Dan heeft hij meteen een opvolger."
„En wil Johannes dat ook?"
„Dieuwertje zei dat moeder Jitske er veel van verwachtte."
„Maar doet Johannes dat ook?"
„Misschien wel, dat weet ik niet."

Wiardus kan zich niet voorstellen dat Johannes dubbel spel speelt. Hij besluit open kaart te spelen.
„Er is er maar één die Johannes wil. En dat ben jij."
„Papa!" Marijes gezicht begint te glanzen. „Hoe weet u dat?"
„Hij heeft 't me verteld. Verleden week."
„Toen al. Waarom hebt u daar niets van gezegd?"
„Ik moest er over nadenken."
Opeens bedenkt Marije dat Johannes van heel nederige komaf is, en dat hij feitelijk in dienst is bij haar vader.
„U vindt het toch wel goed?"
„Ja, ik geef graag mijn toestemming. En jij?"
„Ik ook natuurlijk."
„Ik had hier geen idee van, Marije. Wist je al lang dat het Johannes moest zijn?"
„Vanaf nieuwjaarsdag. Maar ik heb altijd al van hem gehouden, zolang ik hem ken."
Wiardus knikt tevreden.
„Dan zullen we hem zo gauw mogelijk bericht sturen."
Marije zou zo wel naar hem toe willen vliegen om hem het nieuws te vertellen. Maar dat zou hoogst onbetamelijk zijn. „Kan het vanavond nog papa?"
„Goed. We zullen die arme jongen niet te lang laten wachten."
Ze eten hun dessert. Daarna gaat Wiardus naar zijn comptoir en schrijft een brief.

Beste Johannes,

Hierbij wil ik je uitnodigen om aanstaande zondag bij ons te komen theedrinken en dineren. Ik heb met Marije gesproken en zij accepteert je van harte als haar toekomstige echtgenoot. We zien uit naar je komst.

Met een hartelijke groet en hoogachting verblijf ik,
W. Roorda.

Hij strooit zand over de natte inkt en loopt naar de groene kamer om Marije de brief te laten lezen. Dan verzegelt hij hem en belt

Bouke om het gewichtige document weg te brengen.
Marije danst door de kamer. Maar ineens staat ze stil en zegt:
„Alleen begrijp ik niet wat Johannes met die dochter van Buwalda heeft."
Waarschijnlijk niets, denkt Wiardus. Hij herinnert zich de oprechte vreugde en ontroering van Johannes, tijdens hun laatste gesprek.
„Dat moet je zondag zelf maar aan hem vragen."
„Dat zal ik zeker doen."
Het klinkt strijdlustig. Wiardus glimlacht. Het komt wel goed met die twee.

11

Het is zondagmiddag. Precies om drie uur wordt Johannes door Feikje aangediend in de salon. Nieuwsgierig werpt de dienstbode een blik naar binnen. Ze zijn er alledrie, meneer Roorda en zijn dochters.

Zo te zien met hun allerbeste kleren aan. Wat zou er aan de hand zijn? Ze heeft vanmorgen opdracht gekregen om de tafel feestelijk te dekken. Op het damasten kleed staat het zilveren theeservies klaar voor gebruik. Ernaast heeft ze schalen neergezet met gebak en chocolade. Bouke moest de wijnkoeler vullen en een paar flessen van de beste wijn naar boven halen. Meneer Johannes ziet er ook keurig uit. Feikje beseft dat 't niet zomaar een visite is.

Johannes gaat de salon binnen, een tikje verlegen. Hij geeft Wiardus een hand.

„Dank u wel voor de uitnodiging meneer."

„We zijn blij dat je er bent Johannes."

Aagje krijgt een hand en dan keert Johannes zich naar de jongste.

„Marije!"

Er ligt zoveel warmte in zijn stem dat ze ervan ontroert. Ja, dit is de vriend van haar kinderjaren, die nu niets liever wil dan de hele levensweg met haar gaan.

„Johannes, ik ben zo blij."

Hij neemt haar hand en drukt er een kus op. Dan geeft hij haar een doosje. Marije maakt het open. Er komt een gouden medaillon tevoorschijn.

„O Johannes, wat mooi!"

„Ja, vind je?"

„Hij is prachtig. Ik heb ook iets voor jou."

Ze loopt naar de schouw. Daar staat het gegraveerde glas dat ze vorige week heeft afgekregen. Ze legt het in Johannes' handen. Verrast bekijkt hij het. Twee vlinders naast een bloem, sierlijke ranken.

„Een kunstwerk," zegt hij, „dank je wel Marije. Ik ben er heel verguld mee."

Hoffelijk kust hij haar op het voorhoofd. Wiardus kijkt glimlachend toe.

Aagje schenkt thee in de porseleinen kopjes en presenteert gebak. Wiardus bekijkt de medaillon.

„Heel smaakvol."

Een beetje onwennig zitten ze bij elkaar. Tot Aagje begint te vertellen over de bruiloft van Janneke Walta.

„In de kerk was het steenkoud. Ik was blij dat de plechtigheid niet zo lang duurde. Bij Walta thuis brandden gelukkig alle vuren."

„Hoe zag Janneke er uit?" vraagt Marije.

Meestal geeft ze niet zo om mooie kleren, maar vandaag heeft het haar interesse.

„Ze droeg een jurk van rode zijde. Het lijfje was bestikt met zilverdraad en op de rok zaten wel honderd kanten bloemen. Ze zag er heel goed uit. De jonker was in zijn uniform, met de sabel aan zijn zij. Nogal lastig bij het dansen."

„Kon hij die niet afleggen?" vraagt Johannes.

„Dat deed hij pas 's avonds aan het diner. Ze hadden de tafel prachtig versierd. Alle servetten waren kunstig tot vogels gevouwen. Ik moet eens aan Janneke vragen hoe dat moet. Er stonden zeker twintig kandelaars en alle kaarsen brandden."

Wiardus ziet het voor zich. Walta is ook zilversmid, hij weet wat mooi is.

„Hebben jullie veel gezongen?" wil Marije weten.

„O ja, tot onze kelen schor waren. Aan tafel werden bruiloftsgedichten voorgelezen, sommige waren eindeloos. Maar we hebben ons best vermaakt. Nu zal ik jullie nog een kop thee inschenken."

Later op de middag volgt de wijn. Wiardus brengt een heildronk uit op het jonge stel:

„Een goede toekomst gewenst, kinderen."

Ze klinken met elkaar en ervaren de rijkdom van dit moment.

Wiardus gaat naar zijn kamer om een poos op bed te liggen, zodat hij straks fris en uitgerust aan het diner kan verschijnen. Aagje blijft achter met het jonge stel.

„Zal ik wat op het klavecimbel spelen?" vraagt ze.

„Ja goed."

Ze begint met een gavotte. Marije staat op en steekt haar hand uit naar Johannes. Ze dansen samen. Johannes is blij dat hij dansles heeft gehad tijdens zijn studie. Als de gavotte uit is maakt hij een kleine buiging naar Marije, trekt haar arm door de zijne en wandelt met haar naar de andere kant van de salon. Bij de pronkkast blijven ze staan, met hun rug naar Aagje toe. Achter het glas liggen de oude familiestukken. Marije wijst naar een prachtig bewerkt zilveren kistje.

„Dat knottenkistje gaf mijn overgrootvader aan zijn geliefde, toen hij haar ten huwelijk vroeg. Ze nam het aan en daarmee gaf ze haar jawoord."

„Dieuwertje heeft net zo'n kistje gehad van Jan Anne," herinnert Johannes zich.

„Dat heeft papa voor hen gemaakt," zegt Marije trots. „En die twee lepels op de plank daaronder, zie je die? Het zijn geboortelepels, ze zijn meer dan honderd jaar oud."

„Ze zijn precies gelijk."

„Klopt, ze zijn voor een tweeling gemaakt. Hun vader was kapitein op de Sontvaart. Dat was geloof ik de overgrootvader van papa."

„Een kast vol familiegeschiedenissen," knikt Johannes.

Marije glundert:

„Daar komt ónze geschiedenis bij, die van ons samen."

Johannes legt een arm om haar schouder en drukt haar dicht tegen zich aan.

„Ik ben geweldig blij Marije."

Ze haalt zijn arm van haar schouder, draait zich een kwartslag om en kijkt hem voluit aan.

„Weet je zeker dat je bij de Roorda's wilt horen en niet bij de Buwalda's?"

„Oei," zegt hij quasi-verschrikt, „nu word ik al ter verantwoording geroepen."

Marije wil het echter weten:

„Wat deed je bij de notaris thuis?"

„Dineren. Hij nodigde me uit en zei dat zijn vrouw ook graag kennis met me wilde maken."

„Net als zijn dochters."
„Geraden."
„Waarom ging je er dan heen?"
„Ik kon moeilijk nee zeggen. Buwalda zou zeer gegriefd zijn."
„Waren het aardige jongedames?"
„Ik geloof het wel. Maar ze zullen mij vast een saaie vent gevonden hebben. Ik moest steeds aan jou denken, ik voelde me heel ongemakkelijk."
„Arme Johannes, wat heb je het moeilijk gehad."
„Jij ook, ik zie hoe jaloers je bent."
„Natuurlijk, ik gun je aan geen ander."
Lachend kijken ze elkaar in de ogen. Nu vindt Marije het goed dat hij haar in z'n armen sluit.

Aagje is chaperonne, dat weet ze. Het zou niet gepast zijn als Johannes en Marije langere tijd met z'n tweeën in de salon waren. Het klavecimbel biedt uitkomst. Nu hebben die twee toch de gelegenheid om met elkaar te praten en elkaar te kussen. Zíj zorgt wel voor de muzikale omlijsting. Ze kiest haar lievelingsstukken. De gavotte, een stuk met een waterval aan loopjes, de plechtige sarabande.

Intussen denkt ze na over de onverwachte gebeurtenis. Nooit heeft ze het vermoeden gehad dat die twee een stel zouden worden. Maar nu het beklonken is lijkt het opeens zo vanzelfsprekend. Johannes en Marije waren altijd al zulke goede kameraden.

Jaloers is ze wel. De een na de ander verlooft zich of trouwt. Straks blijft ze alleen over. Geen prettig vooruitzicht.

Met Janneke Walta heeft ze trouwens diep medelijden. Het was een schitterend feest, dat wel. De Walta's zijn rijk en dat was te merken! De overdadige tafels, de vele karaffen met de beste wijnen. Zelf heeft ze maar één glas gedronken, ze kan niet zo goed tegen wijn. Zo was ze nuchter genoeg om te zien dat veel gasten hun maat niet kenden. Het feest werd gaandeweg luidruchtiger, de grappen en toespelingen op het bruidspaar steeds platvloerser. Ook de bruidegom was flink aangeschoten. Hij danste het openingsmenuet met Janneke maar daarna liet hij haar bijna de hele avond links liggen om zijn aandacht aan andere jongedames te geven. Zelf heeft ze éénmaal met hem gedanst, een allemande. Maar ze was verbijsterd door de manier waarop hij haar tegen zich aanhield, terwijl hij een paar vurige complimenten in haar oor blies. Arme Janneke! Ze gunde de jonker daarna geen enkele dans meer en was blij dat anderen haar uitnodigden. Eelco, en die malloot van een Wiebe. En tenslotte Jannekes vader. Ze is zielsblij dat ze verleden jaar niet voor de avances van jonker Jacob gezwicht is. Die pluimstrijker zocht alleen maar een rijke vrouw!

Aagje speelt tot slot een courante. Dan draait ze zich een kwartslag om zodat ze de tuin in kan kijken. Aan de fruitbomen zwellen de knoppen Het zal niet lang meer duren of alles staat in volle bloei. Vogels schieten heen en weer om hun nestje in orde te maken. Aagje glimlacht. Overal is jong leven. Ook achter haar rug ontluiken nieuwe dingen.

En wat wil ze zelf? Eigenlijk weet ze het al. Geen grapjas zoals Wiebe, die nog nooit iets gedaan heeft om zijn eigen kost te verdienen. Geen rokkenjager zoals Hessel. Geen bedrieger zoals Jacob. Nee, ze wil iemand die echt om haar geeft, iemand bij wie ze zich veilig voelt. Haar verlangen gaat een kant op die ze vroeger nooit voor mogelijk had gehouden. Of papa het zal goedkeuren? Och, tenslotte is Johannes ook maar een ondergeschikte.

Wiardus wandelt in zijn tuin. Het is verrukkelijk weer. De zon schijnt mild en warm. Wind is er nauwelijks. Al vaker is hij naar buiten geweest. Maar wanneer hij over straat wandelde werd hij voortdurend aangesproken door kennissen. Vandaag kan hij dat niet gebruiken. Hij moet rustig kunnen nadenken.

Bouke heeft de tuin goed verzorgd. De lage buxusheggetjes zijn kaarsrecht geknipt, de bloemperken liggen vrij van onkruid te wachten op de lente. Wiardus gaat op het bankje zitten en koestert zich in de zon. Na de wekenlange opsluiting in zijn huis vindt hij het heerlijk om weer buiten te zijn. Een vogel zingt in de appelboom, mussen vechten scheldend om een brokje eten. Ver weg klinken de geluiden van de straat. Een kar boldert over de weg, de slakkenbakker *) vent luidkeels zijn waren uit. Voor

*) ulevellenbakker

Wiardus is de deur naar het volle leven weer opengegaan. Hij is er intens dankbaar voor.

De tuinpoort piept. Wie komt zijn rust verstoren? Het is een jochie van een jaar of tien. Aarzelend loopt hij naar het huis. Als hij Wiardus ziet blijft hij verlegen staan.

„Heb je een boodschap?" vraagt Wiardus. „Loop dan maar door naar de keuken."

„Ik kom voor meneer Roorda."

„Dan moet je bij mij zijn."

De jongen komt dichterbij en neemt zijn muts af.

„Vertel het maar."

„Meneer Aykema heeft me gestuurd. Ik wil graag in de smederij komen werken."

Wiardus heeft moeite om ernstig te blijven. Dat kleine kind? Hij zou nog maar net boven de werkbank uitkomen.

„Hoe heet je?"

„Sicco meneer."

„En hoe oud ben je?"

„In mei word ik twaalf."

Verwonderd kijkt Wiardus naar het schriele ventje.

„Wat doet je vader?"

„Die is dood, al vijf jaar. Mijn moeder is wasvrouw."

„Heb je nog broers en zussen?"

„Mijn oudste zus is zestien, ze is derde meisje in een groot huis. Mijn broer is veertien, hij werkt bij een molemaar. En twee zusjes zijn kleiner dan ik, die kunnen nog niet zo veel."

Wiardus begrijpt het. Een arm gezin, waar iedereen hard moet werken voor het dagelijks brood. Hij gunt de jongen zijn verdienste. Maar hij wil ook vlijtig en betrouwbaar werkvolk.

„En waarom wil je zo graag in de smederij werken?"

„Als we in de kerk komen, kijk ik altijd naar de zilveren kandelaars, die vind ik zo mooi. Soms staan er ook bekers, die zijn nog mooier."

Wiardus herkent iets. De fascinatie voor het zilver. Zou deze jongen iets gezien hebben van die koele schoonheid? Het is mogelijk. Maar het kan ook zijn dat hij begrepen heeft hoe kostbaar het materiaal is. In de smederij worden de restjes zilver en het vijlsel altijd zorgvuldig verzameld om later te worden omgesmolten. Een kleine gauwdief kan hij niet gebruiken.

„Vertel me eens Sicco," vraagt hij, „hebben de rakkers wel eens achter je aan gezeten?"

De jongen kleurt.

„Jawel meneer."

„Hoe kwam dat?"

„Ik stond met mijn vriendje op de brug. We deden wie het verste kon spije. *) Maar er kwam een schuit onder de brug door en we raakten de man met de vaarboom. Die begon te schelden."

„En toen?"

„Er liepen twee rakkers over de kade, die op ons af kwamen. We zijn er gauw vandoor gegaan."

„En? Hebben ze jullie te pakken gekregen?"

„Nee, wij konden vlugger."

Het klinkt triomfantelijk. Een pittig knaapje, denkt Wiardus. Hij staat op.

„Kom maar eens mee naar de keuken."

Titia is groenten aan het snijden. Ze kijkt verbaasd op.

„Titia, dit is Sicco, onze jongste knecht in de smederij. Heb je een stuk brood voor hem en een beker melk?"

„Jawel meneer."

„Als je het op hebt Sicco, dan kun je naar meneer Aykema gaan en zeggen dat je het mag proberen."

Wiardus gaat terug naar zijn bankje. Met gesloten ogen wacht hij tot de keukendeur opengaat. Lichte voetstappen komen dichterbij en houden stil. De klompen gaan uit, zo te horen. Even later slaat de tuinpoort. Wiardus is tevreden. Het lijkt erop dat Aykema een goede keus heeft gedaan.

Wiardus denkt verder na over de vragen die hem bezighouden. Gistermorgen heeft Aagje tegen hem gezegd:

„Papa, ik zou wel met Wicher Aykema willen trouwen."

Wiardus was totaal overrompeld.

„Waarom Wicher?" heeft hij gevraagd.

*) spugen

„We mogen elkaar graag. En Wicher is zo eerlijk."
„Hij is niet van onze stand, dat weet je."
„Ja papa, daar heb ik al over nagedacht."
Wicher... wat weet hij van de man die al jaren zijn eerste knecht is? Een vriendelijke, bescheiden man. Hij woont in huis bij een getrouwde zuster, die kinderloos is. Een heel eenvoudig huis is het. Bemiddeld zullen ze niet zijn. Eigenlijk vindt Wiardus dat ook niet zo belangrijk. Wicher is een verstandige vent die niet zo gauw van zijn stuk te brengen is. Hij kan uitstekend met Aagje overweg, Wiardus vindt zelfs dat hij een goede invloed op haar heeft. Op de avonden dat ze met z'n vieren de zaken doornemen heeft hij bovendien gemerkt dat Wicher de smederij goed draaiende houdt. Er worden de nodige bestellingen afgeleverd, alle voorraden worden op tijd aangevuld en over Oege en Folkert hoort hij geen klachten.
Wicher als schoonzoon en opvolger, het idee staat Wiardus wel aan. Om als zelfstandig zilversmid te werken moet hij wel meester in het ambacht worden. Wiardus denkt aan de eisen die het gilde zal stellen. Eerst de meesterproef. Dat zal voor Wicher geen moeilijkheden opleveren. Hij is een knappe vakman, een van de besten in Leeuwarden. Mede aan hem heeft Wiardus de bloei van zijn zaak te danken. Om vervolgens als meester in het gilde te worden toegelaten moeten er ook zeventig goudguldens in de gildekas gestort worden. Een enorm bedrag. Wiardus weet zeker dat Aykema dat niet heeft. Maar daar kan hij voor zorgen. Dat kan allemaal in het huwelijkscontract beschreven worden.
En hoe zou Wicher zélf erover denken? Hij zal maar al te graag het bedrijf overnemen. Maar voelt hij ook voor een huwelijk met Aagje? Ze is niet de makkelijkste, met haar grillige karakter. Opeens herinnert Wiardus zich die ochtend in het najaar, toen Aagje onverwachts de smederij binnenkwam om over haar armband te praten. Zoals Wicher naar haar keek! Of hij een prinses uit een sprookje zag. Zijn bewondering is gebleven, ook nu ze elkaar regelmatig ontmoeten. Daarin is Wicher oprecht, Wiardus twijfelt er niet aan. Hij is anders dan de jongemannen die op Aagjes feest kwamen. Die strooiden met vleierij en complimentjes naar elke jongedame die ze tegenkwamen. De leeghoofden!

Aan de meeste zou hij zijn dochter niet ten huwelijk willen geven. Sommigen van hen hebben nog nooit gewerkt voor de kost, zo rijk zijn hun vaders. Nee, dan is Aykema hem heel wat liever. Die steekt zijn handen uit de mouwen en presteert iets! En fratsen heeft hij niet.

Diep in zijn hart is Wiardus zelf nog altijd de eenvoudige ambachtsman. Juist daarom kan hij Aykema zo waarderen. Hij begint aan het idee te wennen. Wicher en Aagje.

Dieuwertje wandelt door de stad, met Jiske in de kinderwagen. Ze heeft de kleine meid stevig ingepakt, ook al is het zacht weer. Ze zoekt haar weg naar de winkel van mem. Daar is ze in geen maanden geweest. De vrouw die haar 's morgens helpt bij het werk in huis, past op Sjoerd.

Dieuwertje loopt genietend in de warme zon. Het is al dagenlang zulk mooi weer, dat ze snel opknapt, ze voelt zich met de dag sterker worden. De laatste restjes van die vervelende hoest zijn ook verdwenen. Ze heeft tegen Jan Anne gezegd dat ze het werk in huis wel weer zelf kan doen. Maar daar wilde hij niet van horen.

„Zorg jij maar voor de kinderen en geniet van ze. Er blijft nog genoeg voor je te doen."

Dat is waar. Ze moet naar de markt, ze moet koken En altijd is er verstelgoed. Ook vraagt Jiske nog veel aandacht.

Dieuwertje kuiert over de Nieuwestad en komt langs het huis waar ze vroeger zo vaak kwam. Al die jaren dat ze met Aagje optrok, vanaf de tijd dat ze samen leerden lezen. In de afgelopen winter is Aagje één keer bij haar op bezoek geweest. Ze hebben over vroeger gepraat. Hoe zíj, Dieuwertje, als zestienjarige, zo verschrikkelijk verliefd was op IJsbrand. Wat was hij charmant. Geen wonder dat hij alle meisjesharten in beroering bracht. Nu woont hij in dat verre Indië, waar hij volgens Aagje fortuin heeft gemaakt en in een groot huis woont met tientallen bedienden. Ze kan 't zich maar moeilijk voorstellen. Nog altijd denkt ze aan hem zoals hij met haar langs de vaart schaatste. Een tocht die eindigde in een hartstochtelijke kus. Maar IJsbrand, met al zijn charme, deugde niet. Hij zat ook achter andere vrouwen aan, tot hij een van hen zwanger maakte. Toen was het geduld van meneer Roorda op en moest de schavuit naar Indië.

Dieuwertje gaat de Molensteeg in. De winkeldeur staat wijd open, ze kan zo met de wagen naar binnen rijden. Er zijn geen klanten, dat treft ze.

„Dieuwertje," zegt moeder Jitske verrast.

„Het is zulk mooi weer mem! Kijk eens hoe goed Jiske er uit ziet. Ik ben al een paar keer met haar naar buiten geweest."

„Gelijk heb je. Geniet er maar van. Het weer kan zomaar omslaan, het is pas maart."

„We gaan de lente tegemoet mem. En hoe is het met u?"

„Goed hoor. Weet je wie hier zondag zijn geweest? Johannes met Marije." Jitske straalt. „Marije is helemaal niet deftig, ze is net zo gewoon als jij en ik."

„Marije is een juweel," knikt Dieuwertje. „Ik ben voor Johannes zo blij. En u maar denken dat hij met een dochter van Buwalda zou thuiskomen."

„Nou ja." Jitske schokschoudert en begint gauw over iets anders. „Heb je alles al klaar voor de kraamvisite?"

„Het meeste wel. Moeder Janna zal nog kreampofkes *) bakken. We rollen van het ene feest in het andere. Zondag was het ook zo'n mooie dag."

Dieuwertje denkt er dankbaar aan terug. Het was haar eerste kerkgang na de bevalling. Jiske werd gedoopt. Toen ze thuiskwamen werd dat gevierd met een uitgebreid feestmaal. De beide moeders waren er. En Johannes met Marije. Dieuwertje had haar hele familie om zich heen en heeft genoten.

Er komen klanten in de winkel. De kleine Jiske wordt bewonderd. Dan gaat Dieuwertje tevreden naar huis.

Twee dagen later is het zover. In de buurt zijn de uitnodigingen voor de kraamvisite rondgebracht. Dieuwertje verwacht zeker twintig vrouwen. Moeder Janna dekt de tafel, buurvrouw Antje sleept stoelen aan. Sjoerd kijkt vol belangstelling toe.

De vrouwen komen binnen. Ze geven Dieuwertje hun kraamge-

*) Zoete broodjes, speciaal voor de kraamvisite.

schenken. Een koek, een zakje suiker, een warme doek voor Jiske. Dan zoeken ze hun plek en kijken begerig naar al het lekkers op tafel. Dingen die ze maar zelden krijgen. Krentenbrood, beschuit met boter en kaas, kreampofkes en zelfs gesuikerde amandelen. Moeder Janna schenkt de koffie in. Jiske gaat van de ene arm op de andere tot ze begint te huilen.

Dan neemt Dieuwertje haar bij zich en geeft haar de borst. Buurvrouw Antje neemt Sjoerd op schoot en voert hem een snee krentenbrood.

Er blijven veel stoelen leeg. Dieuwertje denkt aan de kraamvisite na de geboorte van Sjoerd. Toen zat de keuken bomvol. Maar ja, toen was Sjoerd nog maar een paar weken oud. Jiske is al drie maanden! Zouden de vrouwen verontwaardigd zijn dat ze zo lang moesten wachten? Maar daar kan zíj niks aan doen. De kraamvisite hou je pas na je eerste kerkgang.

Bovendien was Jiske zo teer. Ze wisten niet eens of ze het wel zou redden. Dankbaar kijkt Dieuwertje neer op het gretig zuigende kind.

Moeder Janna zet een grote kom op tafel. Brandewijn met suiker en rozijnen. De glaasjes worden volgeschept.

„Goed spul," zeggen de vrouwen. En omdat er toch meer dan genoeg is nemen ze nog maar eens en nog eens. Dieuwertje ziet het wel, maar nu ze zelf zo gelukkig is kan ze het haar bezoeksters niet kwalijk nemen. De meesten hebben een zwaar leven en dan mag je wel eens uit de band springen.

De stemmen worden harder en scheller. Er ontstaat een ruzie. Iedereen bemoeit zich ermee. Het is een en al luidruchtigheid en geschreeuw. In de algemene verwarring probeert een van de vrouwen zichzelf voor de vijfde keer in te scheppen. Met een resoluut gebaar haalt Janna de kom van tafel en zet hem in de provisiekast. Op haar gemak begint ze de tafel af te ruimen. De vrouwen begrijpen de wenk, de visite is afgelopen. Luid kakelend stommelen ze de deur uit. Dieuwertje legt Jiske in de wieg. Ze is doodmoe.

Janna moet naar haar winkel. Ze kijkt nog even in de wieg en slaat haar doek om.

„Dag moeder Janna, en bedankt!"

Gelukkig heeft buurvrouw Antje geen haast. Ze spoelt de vaat terwijl Dieuwertje de vloer aanveegt. Als dat klaar is strijken ze neer bij de keukentafel.

„Wat een drukte," zucht Dieuwertje.

„Ach mens, je bent niks meer gewend. De hele winter heb je binnen gezeten."

Dat is zo, Dieuwertje realiseert zich dat het leven enigszins aan haar voorbij is gegaan.

„Toch vind ik het vreemd," mijmert ze hardop, „dat zo veel vrouwen niet kwamen opdagen. Dirk zal de uitnodigingen toch wel duidelijk overgebracht hebben?"

„O ja hoor," lacht Antje, „dat jonkje hat gjin spinreach foar de mûle." *)

Dieuwertje lacht ook.

„Nee," gaat de buurvrouw verder, „ik denk eerder dat er een heleboel weggebleven zijn vanwege je schoonmoeder."

„Moeder Janna?" vraagt Dieuwertje nietsvermoedend.

„Och ja, zo langzamerhand weet toch iedereen dat ze niet deugt."

Vol verbazing kijkt Dieuwertje haar buurvrouw aan.

„Waar heb je het over?"

„Nou, wat er vroeger gebeurd is. Ik bedoel, een kind krijgen terwijl je niet getrouwd bent, dat is toch onzedelijk."

Dieuwertje is sprakeloos. Dit moet een misverstand zijn.

„Nou ja, die man van jou was helemaal niet het kind van Gerbrandy," legt Antje uit. „Zijn moeder was al hoogzwanger toen ze met die timmerman trouwde."

Het is Dieuwertje of ze een stomp in haar maag krijgt. Moeder Janna zou zoiets onbehoorlijks gedaan hebben? Onmogelijk! Zo'n fijne, hoogstaande vrouw. Hoe komen de mensen erbij? Dieuwertje zit te duizelen op haar stoel.

„Kletspraatjes, onzin," verweert ze zich.

„Nou ja, dat verhaal gaat nu eenmaal rond, waar of niet waar. Ik stoor me er niet aan. Je schoonmoeder is een goed mens, ik wilde dat de mijne net zo was. Maar sommigen denken er anders over.

*) is niet op zijn mondje gevallen.

Ik hoorde zelfs dat ze werd nageroepen op straat. 'Smoarge klitse' *) schreeuwde iemand."

Dieuwertje wordt koud van schrik. Wat vreselijk voor moeder Janna. Dat zíj daar niets van wist. Inderdaad, het leven is voor een groot deel aan haar voorbij gegaan. En moeder Janna heeft er met geen woord over gerept.

„Ach, trek het je niet aan," zegt Antje. „De mensen moeten iets te roddelen hebben, eerder zijn ze niet tevreden."

Ze staat op en gaat naar huis. Dieuwertje blijft in grote verwarring achter. Het leven leek zo zonnig na de moeilijke winter. Maar nu hangt er weer een donkere wolk boven haar hoofd. Ze zou zo naar de werkplaats willen vliegen om haar troost bij Jan Anne te zoeken. Ze aarzelt echter. Moet ze het hem vertellen? Het zou hem diep grieven. Misschien gaan de mensen hem ook wel nawijzen, en hem een kind van de zonde noemen. Nee, met Jan Anne durft ze er niet over te praten. Ze voelt zich doodalleen met haar verdriet.

De keukendeur gaat open. Verschrikt kijkt ze op. Het is Johannes.

„Dieuwertje, ze zijn weg. Heb je een gezellige middag gehad?"

Opeens ziet hij haar behuilde gezicht.

„Wat is er gebeurd?"

„Johannes, goed dat je er bent. Ik hoorde zo iets verschrikkelijks."

Dan valt haar oog op Sjoerd, die in een hoekje op de grond zit. Met zijn vinger likt hij een glaasje schoon. Ze stuift overeind.

„O ondeugd, dat is toch niks voor een kleine jongen als jij."

Ze neemt het glaasje uit zijn hand en geeft hem een beschuit. Dan gaat ze naast haar broer zitten en vertelt hem wat ze van Antje heeft gehoord.

Johannes schrikt. Hij kent het geheim van Jan Annes afkomst. Maar hij had nooit vermoed dat er nu, bijna dertig jaar later, nog iets van zou doorlekken in Leeuwarden. Een enorme woede komt in hem naar boven. Met hun platvloerse praatjes maken de mensen andermans leven kapot. Dat van Janna. En wellicht ook dat

*) vuile del.

van Jan Anne en Dieuwertje. Degenen die hem zo dierbaar zijn. Hij weert Sjoerd af, die op zijn knieën wil klimmen en staart met een duistere blik voor zich uit.

„Weet Jan Anne het al?”

„Nee, ik heb het zelf net gehoord.”

„Ga je ’t hem vertellen?”

„Ik weet het niet Johannes. Ik denk dat het hem erg zal bezeren.”

„Dat zal het zeker. Toch moet je het tegen hem zeggen.”

Johannes trekt een denkrimpel tussen zijn wenkbrauwen. Jan Anne weet allang dat hij geen zoon van Gerbrandy is. Maar nooit heeft hij dat aan Dieuwertje verteld. Nu vraagt Johannes zich af of ze daarin juist gehandeld hebben. Misschien had ze de waarheid moeten kennen, dan was het vandaag minder hard aangekomen. Nu was ze helemaal onvoorbereid. Geen wonder dat ze overstuur was.

„Kun jíj niet iets ondernemen Johannes? Je mag toch niet zomaar de meest gemene roddels over iemand rondvertellen? ’Smoarge klitse’ riepen ze haar achterna.”

„Schandalig! Nee, dat mag zeker niet. Ik zal erover nadenken, en kijken of we iets kunnen doen.”

Dieuwertje haalt opgelucht adem.

„Je bent een geweldige broer van me. En wil je nu een glaasje brandewijn?”

„Nou, vooruit dan maar. Op de goede afloop. Kom Sjoerd, klim maar op mijn schouders.”

Het laat Johannes niet los. Als de volgende middag zijn laatste cliënt vertrokken is, gaat hij achter zijn bureau zitten en bladert in een van zijn studieboeken. Wat zegt het wetboek over lasterpraat en wanneer kun je een aanklacht indienen? Hoe zit het met de getuigen? Johannes gromt. Daarginds, in Harlingen, hebben de mensen natuurlijk hun vermoedens gehad. Maar niemand kent de waarheid.

Hij steekt zijn lamp aan en slaat een ander boek open. Hierin worden processen beschreven over alle kwaad dat mensen elkaar kunnen aandoen. Diefstal, vechtpartijen, afpersing. En ook vérgaande kwaadsprekerij. Johannes is volledig verdiept in zijn lectuur. De klopper valt op zijn deur. Verbaasd kijkt hij op, hij verwacht niemand meer.

Vrolijk lachend staat Marije op zijn stoep. Ze draagt een lichte mantel en een kanten muts. Alles aan haar is lente en blijheid.

„Kom gauw binnen. Dat had ik niet verwacht. Is er iets gebeurd?"

„Nee hoor, ik wilde je zo graag even zien."

Haar spontaniteit vertedert hem. Hij slaat een arm om haar heen en neemt haar mee zijn kantoor in.

„O, ben je nog bezig? Heb je moeilijke dingen aan je hoofd?"

„Ja nogal. Maar een kleine onderbreking kan geen kwaad."

Een vurige omhelzing volgt.

„Marije, lief famke van me. Eigenlijk zou je hier niet zonder chaperonne mogen komen."

„Ik weet het. Maar helaas, ik gedraag me zeer onopgevoed."

„Ja, dat heb ik al vaker gemerkt. Daarom hou ik zoveel van je."

Ze kussen elkaar nog eens.

„Lieve Marije, het is echt beter dat je nu weggaat. Ik wil niet dat de mensen over je gaan kletsen."

Ze haalt haar schouders op.

„Wat kunnen mij de mensen schelen?"

„Ze kunnen je enorm beschadigen met hun geroddel," zegt Johannes opeens fel. „En dat mag jóu niet overkomen."

„Wat ben je ineens ernstig."

Vragend kijkt ze hem aan.

„Ja, en boos. Want er gaan momenteel heel gemene praatjes rond over moeder Janna."

„O ja, die heb ik ook gehoord. Maar ik geloof er niks van."

Johannes glimlacht. Nee, Marije wil geen kwaad horen over anderen. En ze zal de laatste zijn om het door te vertellen.

„Die laster is als een gif dat door de hele stad trekt," zegt hij. „Moeder Janna wordt zelfs nageroepen op straat. Een heleboel mensen vermijden haar winkel."

Marije wordt bleek van schrik. Is het zo erg?

„Kunnen we er niets tegen doen?"

„Tja, je weet nooit waar die verhalen vandaan komen. Tenzij je overal navraag gaat doen. Maar daarmee versterk je de geruchten alleen maar."

Marije bijt op haar lip. Ze denkt aan Saakje met haar roddels. Dat was in het najaar.

„Wacht eens Johannes, Aagje kwam op een avond ook met die praatjes aan. We zaten juist aan tafel. Papa werd van schrik onwel, Bouke moest hem naar bed helpen. Ik was ontzettend boos op Aagje. Om papa zo van streek te maken! En van moeder Janna heeft ze af te blijven."

Peinzend kijkt Johannes haar aan.

„Zo, dus je zuster had het ook gehoord."

„Ja, en nu herinner ik me ook van wie," roept Marije strijdlustig, „het verhaal komt bij Minke Douwes vandaan. Haar kookster is uit Harlingen naar hier gekomen. Kun je niet iets doen Johannes? Ik vind het zo gemeen."

„Daar moet ik over nadenken Marije. Praat er intussen met niemand over."

Verontwaardigd kijkt ze hem aan.

„Nee nee," sust hij, „ik weet dat je dat niet zult doen. En nu, juffrouw Roorda, zal ik u met alle égards uitlaten."

„Eerst nog een kus."

„Nou, vooruit dan maar. Word ik nota bene in mijn eigen kantoor in verleiding gebracht!"

Johannes verdiept zich vol goede moed weer in zijn boeken. Er begint een plan te rijpen.

12

Wiardus voelt zich een nieuw mens. De lente doet hem enorm goed, hij voelt per dag zijn krachten toenemen. De koude winter, waarin hij zich zo dodelijk vermoeid kon voelen, lijkt ver achter hem te liggen. Zo vaak hij kan gaat hij naar buiten om te genieten van de ontluikende natuur.

Op een mooie ochtend wandelt hij naar de smederij. De deur naar buiten staat open. Hij snuift een vertrouwde geur op: de smeltoven wordt gestookt. Folkert is de eerste die hem ziet.

„Meester Roorda!"

Oprechte vreugde straalt van zijn vaak zo stugge gezicht.

Aykema kijkt op. Hij legt zijn drijfhamer neer en loopt naar Wiardus toe.

„Fijn dat u er weer bent meneer."

„Dank je Aykema."

Wiardus kijkt met welbehagen rond. Wat heeft hij dit gemist. De werkbanken met het gereedschap, de ovens en vooral de bedrijvigheid.

„Ik ben met de avondmaalsbeker begonnen," zegt Aykema.

Wiardus bekijkt het werk.

„Uitstekend. Is het ontwerp duidelijk genoeg?"

Eigenlijk hoeft hij dat niet te vragen. Hij ziet dat Aykema het reliëf heeft uitgehamerd precies zoals het op de tekening stond.

Wiardus loopt langs Oege, die vormen in het gietzand heeft gemaakt.

Hij knikt tevreden. Folkert laat hem trots de koffiebus zien die hij gegraveerd heeft.

„Die is mooi geworden Folkert."

„Hij moet nog gepolijst worden meester. Maar dat mag Sicco doen."

Wiardus glimlacht. Folkert is geen leerjongen meer! Hij zal hem voortaan het loon van een gezel uitbetalen.

„En hoe gaat het met onze jongste knecht? Bevalt het je hier?"

Sicco kijkt hem verschrikt aan. Hij heeft een lepel in z'n hand waarvan de steel is afgebroken.

„Ik kon er niks aan doen meester. Meneer Aykema zei dat ik

deze lepel moest polijsten en toen brak hij. Ik ben echt heel voorzichtig geweest."

Wiardus bekijkt de twee stukken.

„Nee Sicco, daar kon je niets aan doen." Hij wijst naar het breukvlak. „Kijk, daar is het een beetje rood. Dat betekent dat er tin door het zilver zat."

„Hoe kan dat er nou in komen?"

„Vermoedelijk is er een oud zilveren voorwerp omgesmolten en daarvan is deze lepel gemaakt. Ze hebben het zilver niet voldoende gezuiverd."

„Hier in úw smederij?" vraagt Sicco verbaasd.

„Nee, wij leveren alleen eersteklas zilver." Wiardus bestudeert het zilvermerk. „Dit is gemaakt in Bolsward."

„Moet die lepel nu opnieuw gesmolten worden?"

„Nee hoor, je kunt die breukvlakken voorzichtig bijvijlen. En daarna solderen we de twee stukken aan elkaar."

Sicco zoekt een vijltje en gaat aan het werk. Wiardus geniet. Al die geheimen van het ambacht uit te leggen aan zo'n jongen, die de traditie zal voortzetten!

Hij loopt naar het kabinet achter de werkplaats en kijkt in de kast naar alle nieuwe voorwerpen. Aykema komt naast hem staan om tekst en uitleg te geven.

„Het ziet er goed uit," zegt Wiardus tevreden. „Weet je dat ik zo weer aan de slag zou willen gaan?"

„Dat klinkt hoopvol."

„Ik zal de dokter eens raadplegen. Dan nog een vraag Aykema. Zou je vanavond bij me willen komen voor een gesprek onder vier ogen?"

„Natuurlijk meneer."

Na zijn eenvoudige avondmaaltijd loopt Wicher naar de Nieuwestad. In het comptoir drinken ze koffie. Dan komt Wiardus met zijn voorstel. Wicher kan het nauwelijks bevatten. Een eenvoudige man als hij, die gedoemd was om altijd knecht te blijven, mag de meesterproef afleggen en de smederij overnemen? Meent meneer Roorda dat echt? En mag hij bovendien trouwen met de vrouw die hij zo bewondert? Even staart hij voor zich uit. Want hij heeft ook de onaangename kanten van Aagjes karakter leren kennen. Ze kan plotseling boos uitvallen tegen Bouke, als de jongen onhandig doet. Soms heeft ze scherpe kritiek op Marije. Toch doet ze erg haar best om vriendelijk te zijn, dat heeft hij wel gemerkt. Tegem hém is ze nooit onheus. Ze mogen elkaar wel, Aagje en hij. En altijd weer is hij onder de indruk van haar knappe verschijning. Geen moment heeft hij gedacht aan een huwelijk. Nee, die glanzende appel hing voor hem te hoog. Er zijn genoeg rijke jongemannen in de stad die graag met haar zouden trouwen. En nu wordt híj uitverkoren, een gewone ambachtsman? Hij kan het niet geloven.

„En wil juffrouw Agatha dit ook?"

Wiardus lacht: „Ja, zij wil het ook."

„En ú vindt het zomaar goed?"

„Ja, ik geef mijn toestemming. Anders zaten we hier niet. Denk er rustig over na Aykema, dan hoor ik volgende week je antwoord wel."

Wicher hoeft helemaal niet na te denken. 'Wie beet heeft moet ophalen', heeft zijn vader hem geleerd. Een gouden toekomst wordt hem gepresenteerd. Meester zilversmid, met een eigen smederij. Een huis en een gezin!

„Ik neem uw aanbod graag aan meneer."

Even stoort het Wiardus. Iemand uit zijn eigen kring zou nooit direct toehappen, ook al was hij zeker van zijn zaak. Hij zou minstens een week wachten. Maar goed, Wicher is oprecht en dat valt te waarderen.

„Beloof me één ding Aykema. Blijf de baas in huis, dat is voor iedereen het beste. Mijn dochter heeft geen gemakkelijk karakter. Daarin heeft ze werkelijk leiding nodig. Ik ben ervan overtuigd dat jij die kunt geven."

Meer hoeft Wiardus er niet over te zeggen. Ze begrijpen elkaar.

Johannes gaat Minke Douwes opzoeken. Hij vraagt aan Buwalda of hij een uur eerder weg mag. Want rondom de middagklok kun je niet bij iemand aan de deur komen. De namiddag is ook niet geschikt. Dames als Minke ontvangen dan bezoek of gaan zelf uit. Hoewel, dámes? Johannes vindt Minke helemaal geen dame.

Haar neiging tot kwaadspreken is hem bekend, hij vindt haar ronduit onfatsoenlijk. En Hessel, haar man, doet ook niet bepaald zijn best om de eer van de familie hoog te houden.

„Morgen kom ik wel een uur langer," belooft Johannes.

Buwalda vindt het best

„Je regelt het zelf maar Douma. Kom je nog eens bij ons aan? Mijn oudste dochter zou je graag weer ontmoeten."

„Dank u voor de uitnodiging. Ik heb echter verplichtingen bij de familie Roorda. Binnenkort hoop ik mij te verloven met de jongste dochter."

Buwalda lacht bulderend.

„Die verplichtingen zullen je niet zwaar vallen. Maar niettemin goed dat je het zegt. We zien niet graag dat onze kinderen teleurgesteld worden. Kom later maar eens dineren, samen met je geliefde."

„Dat doe ik graag."

Johannes houdt zijn pruik op. Hij wandelt naar het huis van Douwes en laat zich door de meid aandienen. Minke is overrompeld door zijn komst. Ze biedt hem een stoel aan.

„Mevrouw Douwes, ik kom hier voor uw kookster. Kan ik haar een moment spreken?"

„Jazeker Joh... eh, meneer Douma. Ik zal bellen."

De vrouw komt boven en blijft afwachtend voor Johannes staan. Wat zou die deftige man van haar willen?

„Bent u afkomstig uit Harlingen?"

„Ja meneer."

Johannes gaat direct tot de aanval over.

„Ik heb vernomen dat u kwaad gerucht in omloop hebt gebracht omtrent vrouw Gerbrandy, de bontnaaister. De zoon die zij dertig jaar geleden ter wereld heeft gebracht zou niet het kind van de timmerman zijn."

De kookster knikt.

„Hoe komt u op die gedachte?"

„Ze zeggen het allemaal, daar in Harlingen."

„Dus er zou een andere vader zijn?"

„Ja meneer."

„Hebt u daar bewijzen voor?"

„Nee, dat niet. Maar..."
Johannes kijkt de vrouw een poos indringend aan.
„U beticht vrouw Gerbrandy dus van oneerbaar gedrag, terwijl dit niet bewezen is. U vertelt leugens!"
De vrouw schrikt en begint te stotteren.
„Maar ik dacht... iedereen weet het immers."
„Niemand weet iets," bijt Johannes haar toe. „U besmeurt de naam van een deugdzame vrouw uit onze stad. Maar u hebt niet de minste grond daartoe."
Hij is boos en dat geeft hem gezag. Achter zich weet hij Minke Douwes, die zich aan hetzelfde kwaad bezondigd heeft als haar ondergeschikte. Zijn woorden zullen bij Minke minstens zo hard aankomen.
„Wilt u dat wij u een proces aandoen wegens smaad?"
Hij vraagt het aan de kookster, maar hij vermoedt dat Minke achter zijn rug verstijft van ontzetting.
De vrouw tegenover hem begint te huilen.
„Nee meneer, alstublieft niet."
„Dan moet u wel zorgen dat deze leugens uit de wereld komen. Want zodra ik merk dat deze lasterpraat verder gaat zal ik toch een aanklacht in overweging nemen."
Johannes weet dat hij bluft. Janna zal niets voelen voor een proces. Maar op dit moment bereikt hij met zijn dreigement al voldoende. Hij keert zich naar Minke.
„En u mevrouw, u zult ook beseffen dat deze roddels moeten ophouden. Ik reken op uw volledige medewerking hierin."
Minke knikt beschaamd. Ze ziet de donkere ogen van Johannes op zich gericht, zijn ernstige gezicht, zijn misprijzende mond. Deze man weet natuurlijk dat ook zij schuldig is. Maar in de aanwezigheid van haar ondergeschikte laat hij dit niet merken. Met ontzag kijkt ze hem aan. Wat een man! Iemand die respect afdwingt. Helemaal niet die armoedige brouwersknecht waar Aagje vroeger zo schamper over deed. Ze zal zijn woorden ter harte nemen.
Johannes loopt voldaan over straat. Het is nog te vroeg om naar mem te gaan voor het middagmaal. Daarom maakt hij een wandeling langs de grachten en denkt na over hoe het verder moet.

Die twee vrouwen zijn genoeg onder de indruk om voortaan hun mond te houden. Maar het kwade gerucht heeft zich al verspreid door de stad. Je kunt het niet ongedaan maken, net zomin als je de suiker uit de thee kunt terughalen. Mensen hebben een taai geheugen waar het de zonden van anderen betreft. Er wordt met vuil gegooid, en ook Dieuwertje en Jan Anne hebben daar onder te lijden. Hij zou ze willen beschermen. Maar hoe?

Nog diezelfde dag gaat hij bij Janna langs. Ze is niet verbaasd hem in haar winkel te zien.

„Dag Johannes."

„Dag moeder Janna. Ik zou u iets willen vragen."

„Dat kan."

„Wanneer schikt het u?"

„Vanavond?"

„Dan heb ik Marije een wandeling beloofd."

„Jij boft maar met die jongedame. Morgenavond?"

„Ik zal er zijn."

Ze zitten bij het kookvuur, beiden met een kop thee. Janna wacht zwijgend af.

„Er gaat een kwaad gerucht door de stad," begint Johannes. „Het is u natuurlijk ook ter ore gekomen."

Janna weet meteen waar het over gaat.

„Inderdaad."

„Jan Anne heeft me vroeger in vertrouwen genomen. Toen hij verkering met Dieuwertje wilde, vond hij het zijn plicht om mij op de hoogte te brengen van zijn vroegste verleden. Ik hoop niet dat u dat erg vindt."

„Integendeel, ik heb hem zelf die raad gegeven."

Daar kijkt Johannes van op. Wat een bijzondere vrouw is ze toch. Hij zegt:

„Maar we hebben indertijd niets tegen Dieuwertje gezegd, dat vonden we niet nodig. Helaas, een paar dagen geleden hoorde ze de praatjes. Ze was helemaal van slag."

„Ja, dat zag ik al aankomen, hoewel ik hoopte dat het aan hun huis voorbij zou gaan. Ik had haar misschien moeten waarschuwen."

Janna proeft van haar thee en staart met een bezorgde blik in het vuur. De vlammen spelen om de verse turf die ze erop gelegd heeft. Dan glimlacht ze.

„Je zoekt altijd het beste voor je kinderen. Maar soms neem je de verkeerde beslissing. Ik neem aan dat Dieuwertje erg geschrokken is."

„Ja, het kwam totaal onverwacht. Al is het voor u nog erger."

„Ach Johannes, die storm is al een keer over mijn hoofd geraasd. En ik ben er heelhuids doorheen gekomen. Maar nu... de kinderen."

„Ik denk moeder Janna, dat het ze zou helpen als ze meer wisten over vroeger. Niets is zo fnuikend als die eeuwige twijfel over je afkomst. U weet hoe belangrijk je familie is."

Het blijft lang stil. Johannes is al bang dat hij te ver is gegaan. Regelrecht doelen op een misstap uit het verleden! Het is volstrekt ongepast. Zelf hoeft hij niet te horen wie die onbekende vader van Jan Anne is. Al heeft hij er wel zijn vermoedens over. Een plotselinge gelijkenis, een opvallend gebaar. Hij zal er nooit met iemand over praten. Maar als Jan Anne en Dieuwertje het weten, zullen ze sterker in hun schoenen staan. Vooral als zijn vermoeden juist is.

„Ik zal mij beraden Johannes. Dank je wel voor je komst."

Wiardus is er vol van! Beide dochters hebben hun levenspartner gevonden. Met Marije en Johannes is hij ronduit gelukkig. Of het met Aagje en Wicher goed zal gaan? Veel hangt van Wicher af. Zal hij zich op z'n plaats voelen tussen Aagjes kennissen? En hoe zullen ze hem in het gilde ontvangen? Toch is hij tevreden met de verbintenis. Hij praat met notaris Buwalda over de beide huwelijkscontracten en denkt na over de plek waar de jonge mensen zullen wonen. Aagje en Wicher natuurlijk in dit huis aan de Nieuwestad. Zelf kan hij, als hij het tenminste mee mag maken, een paar kamers op de begane grond betrekken. Zo hoort het ook, de ouderen doen een paar stappen terug om de jeugd alle ruimte te geven. Voor Johannes en Marije denkt hij aan een ruim huis, ergens aan een van de grachten, in ieder geval op stand. Johannes kan zijn kantoor dan aan huis hebben. Het zal niet zo lang duren vóór ze er aan toe zijn. Hij ziet hoe ze naar elkaar toegroeien en verlangend uitzien naar hun trouwdag.

Terwijl zijn gedachten hierdoor op een ochtend in beslag genomen worden komt Feikje hem verrassen met haar schuchtere vraag:

„Meneer Roorda, ik zou in mei graag gaan trouwen."

„Zo zo Feikje, daar wist ik niets van af."

„We konden er ook niet over praten, omdat we niets van Murk wisten. Maar nu..."

„Nu is de weg vrij," glimlacht Wiardus. „En wie is de gelukkige?"

„Jorrit meneer. Hij is bakkersknecht. We kunnen bij zijn muoike wonen. Ik wil u vragen of ik 's morgens hier mag blijven werken. Dan kan ik 's middags het huishouden van muoike doen en koken en zo. Muoike is niet zo jong meer. Als juffrouw Agatha het goed vindt tenminste."

„Het lijkt me een heel goede regeling. We zullen er een dienstbode bij moeten nemen. Die kun jij dan wegwijs maken."

„Ja meneer."

„En mag ik die Jorrit van jou een keer ontmoeten? Want ik sta je liever niet af aan de een of andere deugniet."

Feikje bloost.

„Jorrit is heel aardig meneer."

„Gelukkig maar. Komen jullie zondagmiddag samen op de thee?"

„Hoe bedoelt u meneer?" schrikt Feikje. „Hier bóven?"

Want dat haar werkgever in de keuken zou komen is volstrekt ondenkbaar.

„Ja, ik stel voor in de groene kamer. Als je die nog kunt vinden."

„O eh... ja meneer."

Glimlachend blijft Wiardus achter. Hij gunt Feikje haar geluk. Je moet voor je personeel zorgen, zoals je dat voor je kinderen doet, heeft hij een keer tegen Aagje gezegd. Het wordt tijd dat hijzelf zich aan die woorden houdt. Zondag zal hij Feikje niet met lege handen wegsturen. Ze heeft de familie trouw gediend, al meer dan tien jaar. Zijn gedachten gaan naar Titia. Ook voor haar moet hij nodig iets regelen. Ze is al bij de familie in dienst gekomen vóór de kinderen geboren werden. Hoe oud zou ze nu zijn?

Genietend drinkt hij de koffie die Feikje hem heeft gebracht. Als zijn kop leeg is belt hij.

„U wenst meneer?"

„Graag nog een kop koffie Feikje. En laat Titia die bovenbrengen."

„Goed meneer."

Langzame voetstappen komen de trap op. Nee, zo kwiek is deze gedienstige niet meer. Hoewel ze nog steeds voortreffelijk kookt."

„Titia, er gaan hier in huis een aantal dingen veranderen."

„Dat heb ik begrepen meneer."

„Hoeveel jaar ben je nu bij ons in dienst geweest?"

Titia's gezicht betrekt. Er moet een nieuwe dienstbode komen. En misschien ook wel een nieuwe kookster. Wordt zíj nu op straat gezet, met een jaargeld van vijftien gulden, zoals dat met een kennis van haar gebeurde? Dan wordt het armoede. Want erg veel heeft ze niet kunnen sparen van haar schamele loon.

„Ik ben hier bijna dertig jaar in betrekking."

„Ik hoop dat je nog een poos bij ons blijft," zegt Wiardus.

Opgelucht haalt ze adem.

„Toch wil ik iets geregeld zien vóór ik kom te overlijden."

„Maar meneer! Ik hoop dat u nog lang bij ons blijft."

„Dat hoop ik ook. Waar zou jij willen wonen op je oude dag? Je hebt geen familie hier in de stad?"

„Nee meneer. Het liefste zou ik in een hofje wonen. Daar is het gezellig en zorgen de vrouwen voor elkaar als dat nodig is."

„Dan zal ik je nog deze week in laten schrijven en het geld storten."

„Meneer! U bent al te goed voor mij."

„Je hebt ons altijd trouw gediend. Mag ik je op deze manier mijn dankbaarheid tonen?"

Titia veegt een paar tranen weg.

„Eén ding nog. Verlaat ons niet al te snel. We hebben een heleboel feesten in het vooruitzicht."

„Daar verheug ik me op meneer."

„Fijn. Laat Bouke mij straks een glas wijn brengen."
Ook voor deze jongen voelt Wiardus zich verantwoordelijk. Een boerenzoon, wiens oudste broer de boerderij krijgt. Voor Bouke schiet er niets over, hij zal zichzelf moeten redden. Zou hij zijn leven lang huisknecht willen blijven? Hij heeft best wat geleerd, de afgelopen jaren. Toch blijft Aagje hem ongeschikt vinden. Zodra hij iets fout doet in haar ogen blaft ze hem af. Van schrik doet de jongen dan nog onhandiger. Zelf is Wiardus heel content met zijn knecht. Bouke bedient hem goed, hij vergeet nooit iets. Bovendien was hij een toegewijde ziekenoppasser.
Een klopje op de deur.
„Uw wijn meneer."
„Dank je Bouke. Blijf nog even staan want ik wil je iets vragen."
Zeker het rookstel, denkt de jongen.
„Als ik er straks niet meer ben, wil je dan huisknecht blijven?"
Bouke moet die vraag even op zich in laten werken.
„Als ú dat wilt meneer."
Wiardus schudt zijn hoofd.
„Wat je zelf zou willen Bouke. Je bent een goede huisknecht voor me geweest. Maar zou je altijd in dit huis willen blijven?"
Wiardus ziet het gezicht van de jongen betrekken. De gedachte om volledig onder het gezag van Aagje te komen staat hem kennelijk niet aan.
„Misschien kan ik ergens anders werk vinden."
„Wat voor werk zou je graag doen?"
„Het liefste zou ik op de boerderij komen. Maar dat gaat natuurlijk niet. Soms denk ik erover om paardenknecht te worden, bij het garnizoen of in de stallen van de Prins. Maar ik weet dat ze je daar niet zo gauw aannemen. Als dat niet lukt zou ik een lapje grond willen huren om daar groente op te verbouwen. En daarmee naar de markt."
Wiardus is verrast. Twee voortreffelijke ideeën. De boerenzoon verloochent zijn aard niet.
„Ik zal een geldbedrag op je naam laten zetten Bouke. Als ik aan mijn einde kom, kun je je een eigen bestaan opbouwen."

„Meneer, jo binne bar goed foar my." *)
„Je hebt me al die jaren trouw gediend," zegt Wiardus.
„Ik hoop dat ik dat nog lang mag blijven doen meneer."

Wiardus ligt de hele middag op bed, moe maar tevreden dat hij al zijn zaken geregeld heeft. Morgen gaat hij naar de notaris. Nu kan hij zich ontspannen. Voor iedereen heeft hij gezorgd. Toch blijft er iets om aandacht roepen, als het zachte kloppen op een buitendeur. Heeft hij nog iets over het hoofd gezien? Maar wat dan? Na een poos valt hij in een lichte, onrustige slaap. Zodra hij wakker is weet hij wat hem nog dwars zat. IJsbrand! Nee, niet de jongen zelf. Die weet zich kennelijk goed te redden in dat verre land, waar hij leeft als een vorst. Maar ooit was er een vrouw die hem ervan beschuldigde dat hij haar zwanger had gemaakt. Er is via Buwalda een regeling getroffen. De vrouw krijgt een redelijke toelage. Ze woont bij familie, een eind buiten Leeuwarden, en voedt daar haar kind op. Een meisje, heeft Buwalda hem verteld. Ze zal nu zo'n jaar of vijf zijn. Is dat kind zijn kleindochter? Moet hij niet naar haar omzien? Of is er toch een andere vader? Die vrouw was niet zo'n beste. Het kwam haar natuurlijk goed uit dat ze IJsbrand de schuld in de schoenen kon schuiven. Ze is er niet minder van geworden. Maar als dat kleine kind nou wel een Roorda is? Het was goed mogelijk, zei die ontaarde zoon van hem indertijd.

Wiardus piekert net zo lang tot hij een oplossing heeft. Hij zal, in overleg met Buwalda, Johannes erheen sturen om eens poolshoogte te nemen. Johannes weet wat er vroeger gebeurd is. En hij is discreet.

Bij het avondeten zit Wiardus rustig naar zijn dochters te luisteren, die eensgezind over japonnen en opschik praten. Gelukkig hoeft hij zich dáármee niet te bemoeien, hij heeft nu genoeg dingen geregeld. Tevreden leunt hij achteruit.

Maar veel rust krijgt hij niet. Want de volgende ochtend klopt Feikje op zijn deur.

*) U bent heel goed voor mij.

„Meneer, hier is de krullenjongen van meester Gerbrandy. Hij heeft een briefje voor u en wil het antwoord mee terug."
Jan Anne, denkt Wiardus, zou die iets willen bestellen? Maar de afzender is iemand anders. Janna Gerbrandy wil hem graag spreken op een rustig moment. Wiardus gaat in zijn comptoir zitten en bedenkt een antwoord.

Geachte Mevrouw,

Schikt het u vanavond na sluitingstijd, in het kabinet van mijn werkplaats? Zonder tegenbericht reken ik op uw komst.

Hoogachtend,
W.Roorda,
Zilversmid

De hele dag is Wiardus gespannen. Met het invallen van de schemering loopt hij naar zijn werkplaats en zegt tegen Aykema dat hij een klant verwacht.
„Moet ik nog blijven meneer?"
„Nee, ga gerust naar huis."
Ongedurig loopt Wiardus door de smederij. Hij kijkt of het deksel goed op de oven ligt en ordent de graveerstiften op het rek.
Dan staat ze binnen.
„Goedenavond mevrouw," zegt hij formeel.
Hij doet de deur van de smederij op slot en gaat haar voor naar het kabinet. Ook de binnendeur sluit hij zorgvuldig. In de beslotenheid van het kleine vertrek staan ze tegenover elkaar.
„Janna!" zegt hij.
„Wiardus!"
De jaren vallen weg. Hij ziet weer het meisje voor zich met wie hij een lange zomer optrok. Janna van de molenaar! Al zijn vrije tijd wilde hij bij haar zijn. Ze vierden kermis met hun vrienden en vriendinnen. Ze wandelden in de schemer buiten de stadsmuur, ze dansten in de herberg. In vuur en vlam stonden ze, allebei. Van een huwelijk zou nooit iets komen, dat wisten ze. In september gingen ze met z'n allen naar de kermis in Jorwerd, waar ze dans-

ten tot diep in de nacht. Het was veel te laat om nog naar Leeuwarden terug te gaan, de stadspoort was allang dicht. Met z'n tweeën zochten ze een plek in een hooiberg en vierden daar hun liefde in een vurige omhelzing. Dat was de eerste keer en meteen hun afscheid. Het werd een herfst vol kille regen. Wiardus schaamde zich over die laatste nacht, maar stopte zijn gevoelens diep weg door hard te werken. Janna zag hij niet meer.

Pas enkele jaren geleden kwam hij tot de schokkende ontdekking dat Jan Anne zijn eigen zoon was, geboren uit hun grote liefde.

En nu staat ze tegenover hem, de moeder van zijn zoon. Veel is ze niet veranderd. Die wilskrachtige kin, die donkere ogen onder de zware wenkbrauwen. Alleen door het donkere haar lopen dikke strepen grijs.

„Wiardus, ik wil je om raad vragen. Je weet dat Gerbrandy vroeger een veilig thuis heeft geboden aan Jan Anne, en mij door een huwelijk voor de schande heeft gevrijwaard. Maar de vermoedens waren er natuurlijk altijd. Ze zijn op de een of andere manier naar Leeuwarden gereisd en nu gaan de roddels als een veenbrand door de stad."

„Ik heb ervan gehoord Janna. Ik voel me zeer schuldig."

„Wie heeft het over schuld? Ik heb er nooit spijt van gehad."

De donkere ogen kijken hem welgemoed aan.

„Ik vind het zo erg voor je Janna. Kan ik iets doen?"

Ze lacht onbekommerd.

„Ik overleef dit wel Wiardus. Maar ik denk aan onze kinderen. De roddels hebben hun huis bereikt. Dieuwertje is helemaal ondersteboven. En voor Jan Anne is het evenmin gemakkelijk."

„Ook zíj zullen er op aangezien worden," zucht Wiardus, „en dat kunnen we niet voorkomen."

„Maar we kunnen ze wel een wapen in handen geven, waarmee ze zich kunnen beschermen."

„Waar denk je aan?"

„Wordt het geen tijd dat Jan Anne hoort wie in werkelijkheid zijn vader is?"

Hij schrikt.

„Dan zullen de roddels pas echt voedsel krijgen."

„Nee nee, ik bedoel dat alleen Jan Anne en Dieuwertje het moeten weten en verder geen mens. Het zal ze steun geven Wiardus, zodat ze beter bestand zijn tegen die achterbakse praatjes. Jan Anne is soms nog zo wankelmoedig als een kind. Als hij opeens weer een vader heeft..."

„Zal het ze echt helpen? Ik denk dat ze me erom zullen verachten."

„Hoe kom je erbij Wiardus, denk toch niet zo min over jezelf. Als Jan Anne en Dieuwertje het weten zullen ze trots zijn op hun vader en schoonvader."

Wiardus ziet de warmte en waardering waarmee ze naar hem opkijkt. Ja, ze is nog altijd de Janna van vroeger, de vrouw die van hem hield em hem respecteerde.

„Waarom ben ik geen molenaar geworden," verzucht hij, „dan had ik gewoon met je kunnen trouwen."

„Je levenstaak lag ergens anders. Je was niet gelukkig geworden."

„Met jou wel."

„Maar niet met de molen. Je vader rekende op je."

„En nu rekent er niemand meer op me. Soms denk ik..." Hij kijkt haar aan met een diepe genegenheid. „Jij en ik, voor de tijd die ons nog gegeven wordt..."

„Wiardus!" zegt ze bestraffend, „dát zou de boze tongen pas voedsel geven. De hele stad zou op zijn kop staan. Dat moeten we onze kinderen besparen."

„Je hebt gelijk Janna. Ik sta maar wat te dromen. Maar ik heb nog nooit zoveel liefde voor iemand gehad als voor jou."

„Dat is wederzijds Wiardus. Die gedachte zal ons verwarmen als de mensen kil tegen ons doen."

Teder legt hij zijn hand tegen haar wang.

„Praat jij met Jan Anne?"

„Ja, en met Dieuwertje. Heb ik je niet te veel belast met dit gesprek?"

„Nee, maak je geen zorgen."

„Gaat het beter met je gezondheid?"

„Veel beter. Ik wil je nog bedanken voor de fles medicijn die je aan Marije meegaf.

„Die heb ik met liefde gemaakt."

„Dat heb ik geproefd," lacht hij.

„Zo ken ik je weer Wiardus. Nu moet ik gaan."

Hij geeft haar een afscheidskus op haar voorhoofd en ontsluit de deur.

„Een goede avond, vrouw Gerbrandy"

„Dank u wel meneer."

Janna zit in haar schommelstoel bij het dovende haardvuur, met haar zoon tegenover zich.

„Ik moet je nog altijd vertellen wat er voor je geboorte gebeurd is, Jan Anne."

„Ach moeder, laat het verleden toch rusten," zegt hij.

Zelf heeft hij allang aanvaard dat hij niet de zoon van de timmerman is.

Waarom wil moeder die geschiedenis weer oprakelen? Zeker vanwege de praatjes die nu rondgaan. Daar moeten ze zich niets van aantrekken, dan verstommen ze vanzelf. Dat heeft hij ook tegen Dieuwertje gezegd.

„Het wordt tijd dat je er meer van weet," zegt Janna.

Dan doet ze hem het relaas van die zomer, waarin de liefde bloeide.

„Nooit heb ik zo van iemand gehouden. We waren jong, we gaven ons zonder voorbehoud. In september naderde het afscheid. Toen zijn we één keer te ver gegaan. Ik heb je wel vaker gezegd Jan Anne, dat je uit liefde geboren bent."

„Maar waarom is die man dan niet met u getrouwd?"

„Dat kon niet."

„Was hij soms al getrouwd?"

„O nee, hij was helemaal vrij. Maar er was een huizenhoog standsverschil. Zijn vader zou een huwelijk nooit goedkeuren."

„Dan had hij toch voor u kunnen zorgen en u die bittere armoede besparen."

„Zeker, maar hij wist niet dat ik zwanger was."

„U hebt dat niet tegen hem gezegd?"

„Nee. Ik had mij een bedelvrouw gevoeld. Dat wilde ik beslist niet. Gelukkig kwam Gerbrandy. Hij heeft ons voor veel kwaad behoed. Hij was lief en zorgzaam. Hij beschouwde jou als zijn eigen zoon."

„Jammer dat hij zo vroeg gestorven is. Toen was u weer alleen."

„Nee, want ik had jou immers. Ik was zo blij met je. Je was een levende herinnering aan mijn grootste liefde."

Peinzend kijkt hij haar aan.

„Hebt u er nooit spijt van gekregen?"

„Alleen in die winter vóór je geboren werd, later niet meer. In de moeilijkste dagen hield ik mij overeind door aan die zomer te denken. Er was zoveel vriendschap, zoveel warmte tussen ons."

Ze glimlacht. Jan Anne is geschokt.

„U lácht erom moeder?"

„Ja jongen, maar niet lichtvaardig. Want dat laatste deugde niet. Niettemin... het was zo'n prachtige tijd."

„En waarom vertelt u me dit alles?"

„Omdat het tijd wordt dat je de naam van je vader weet."

„Och, wat heb ik aan een naam? Het is zo lang geleden."

„Maar hij leeft nog. Hij woont hier in Leeuwarden."

Geschrokken kijkt hij haar aan. Hier in de stad? Opeens komt het heel dichtbij.

„Je kent hem."

Zijn hart begint sneller te kloppen.

„Wie is het dan?"

„Wiardus Roorda."

Het is Jan Anne of hij een harde klap krijgt. Meneer Roorda! De man die hij een aantal keren ontmoet heeft, maar die nooit liet merken wie hij was. Eén van de meest vooraanstaande burgers van Leeuwarden. Maar intussen leefde hij met een geheim. En híj, Jan Anne, wist nergens van. Hij voelt zich bedrogen.

„Waarom hebt u dat niet eerder tegen me gezegd moeder?" vraagt hij boos.

„Dat was beter geweest, je hebt gelijk."

„En meneer Roorda, weet die wie ik ben?"

„Ja. Toen we een jaar of wat in Leeuwarden woonden herkende hij me. En later begreep hij dat jij zijn zoon was."

De keuken wordt Jan Anne te klein. Hij komt overeind en stormt naar buiten. Zonder iets of iemand te zien loopt hij door de schemerende stad. Meneer Roorda en zijn moeder! Jarenlang hebben ze hun geheim gekoesterd en zorgvuldig verborgen. Maar hij dan? Hij had er toch ook van alles mee te maken? Toch hebben ze hem er buiten gehouden, alsof hij een kleuter was die nog niets begrijpt van de volwassenen.

Ongemerkt is hij op de Nieuwestad beland. Daarginds is het huis van de Roorda's. Hij heeft de neiging om terug te gaan, niet langs dat huis te moeten. Toch loopt hij door. Even kijkt hij naar boven. De luiken zijn nog niet gesloten. Binnen schijnt een zwak licht. Waarschijnlijk branden er een paar kaarsen. Daar woont hij, in al zijn rijkdom en pracht.

Opeens schiet het Jan Anne te binnen hoe hij hier ontvangen werd op de eerste kerstdag, toen hij kwam vertellen dat hun dochter geboren was. De warme belangstelling, de hartelijkheid, niet in 't minst van meneer Roorda zelf. Sjoerd kreeg toen die prachtige zilveren rinkelbel. Nu begrijpt hij dat gebaar beter: het geschenk van een grootvader aan zijn kleinzoon. Het slaat een bres in zijn boosheid. Hij denkt aan de mand vol goede gaven die ze met Sint Nicolaas kregen. Een heleboel versterkende middelen, speciaal voor Dieuwertje, die toen zo zwak was. Ja, meneer Roorda is enorm betrokken bij hun gezin. Maar waarom heeft híj nooit geweten...

Een scherpe kei raakt zijn hoofd.

„Hoerenjong!" roept een rauwe stem achter zijn rug.

Hij schrikt. Dat kwam hard aan. De pijn vanbinnen is veel heviger dan die aan zijn hoofd. Hij merkt het aan den lijve, er gaan gemene praatjes door de stad. Maar een hoer? Nee, dat is zijn moeder nooit geweest. Ze is iemand die kan liefhebben met haar hele wezen. Al is ze daarin te ver gegaan. Is hij daarom een kind van de zonde? Of is hij geboren uit liefde?

Zijn moeder is altijd blij met hem geweest. Een levende herinnering was hij aan haar grote liefde. Zijn geboorte moet een diepe vreugde voor haar geweest zijn. Net als voor hem en Dieuwertje de geboorte van Sjoerd en Jiske. Jiske, hun kerstkind. Hij herinnert zich die vreemde kerstdag, waarop hij tussen halfafgemaakte meubels en gereedschap zat, en het wonder van het nieuwe leven zo intens beleefde. Iedere geboorte is een wonder, denkt hij.

Ook al zijn de omstandigheden nog zo bedroevend.

Gehaast loopt hij naar huis. In zijn werkplaats zoekt hij achter op een plank. Uit de beschermende doek komt het beeldje tevoorschijn dat hij toen gemaakt heeft. Een moeder met een kind, in volmaakte harmonie. Heel lang kijkt hij ernaar. De spanning verdwijnt uit zijn lijf. Hij vouwt het beeldje weer in de doek en gaat naar buiten. In het huisje van zijn moeder brandt nog licht. Zacht klopt hij op de achterdeur.

„Moeder?"

„Ja, kom binnen."

Ze zit nog steeds in haar stoel bij de haard. Hij loopt naar haar toe en legt het beeldje in haar schoot. Ze vouwt de doek open, neemt het beeldje in haar handen en kijkt er heel lang naar. Tranen beginnen uit haar ogen te druppen, iets wat Jan Anne nog maar zelden heeft meegemaakt en wat hem erg verlegen maakt. Hij legt een arm om haar schouder en trekt haar zachtjes tegen zich aan.

„Het is goed, moeder."

„Daar ben ik blij om Jan Anne. Niemand anders mag dit weten."

„Dat begrijp ik. Mag ik het wel aan Dieuwertje vertellen?"

„Dat wil ik graag zelf doen."

Hij kust haar goedenacht en gaat naar huis. Dieuwertje slaapt al. Hij zoekt zijn bed in het zijkamertje op. Lange tijd ligt hij wakker. Waar de kei hem geraakt heeft voelt hij een stekende pijn. Als ze mij al weten te raken, denkt hij bezorgd, wat zal moeder dan ervaren. Nooit zal ze klagen. Maar hij ziet nu glashelder in waarom ze haar geheim zo angstvallig heeft bewaard. Om de mensen! Ook meneer Roorda is altijd heel discreet geweest, nooit heeft hij iets laten merken. Meneer Roorda... wat een bewondering heeft hij gehad voor die man. Jan Anne herinnert zich de dag waarop hij bij hem thuiskwam om het zilveren knottekistje te bestellen, zijn verlovingscadeau voor Dieuwertje. Meneer Roorda nam hem mee naar de salon, waar het familiezilver in de pronkkast stond. Daar stond net zo'n kistje, meer dan honderd jaar oud. Meneer Roorda vertelde iets over de geschiedenis ervan. Wist hij toen dat zijn eigen zoon naast hem stond? Vast wel.

Opeens weet Jan Anne ook wie de anonieme gever was die 't

hem mogelijk maakte om de meesterproef af te leggen en een eigen werkplaats te kopen. Alle dingen vallen op hun plaats. Hij heeft natuurlijk de talenten van zijn vader geërfd, de liefde voor het ambacht. Geen wonder dat meneer Roorda zoveel belangstelling heeft voor zijn werk, ook al houdt hij zich bescheiden op een afstand.

Een vonk van vreugde begint in hem te gloeien. Die bijzondere man is zijn vader! Een leegte in zijn leven wordt opgevuld. Hij voelt zich rijk en gelukkig.

Janna praat met Dieuwertje. Ze vertelt haar openhartig over de mooie zomer en de angstige winter die erop volgde. Over de geborgenheid die de timmerman haar gaf. Dieuwertje zegt spontaan:

„Wat zult u het moeilijk gehad hebben. In Harlingen hebben de mensen natuurlijk net zo hard geroddeld."

„Dat hebben ze. Ik wil je ook vertellen wie de vader van Jan Anne is."

Dieuwertje kleurt.

„Dat hoeft niet."

„Ik wil dat je het weet. Ik heb het Jan Anne ook verteld. Het is meneer Roorda."

Dieuwertje is met stomheid geslagen. Ze ziet in gedachten de lange, enigszins statige man voor zich, met zijn ernstige gezicht. De gedachten tuimelen door haar hoofd. Daarom was hij altijd zo belangstellend voor hun gezin. En daarom...

„Moeder Janna, weet u nog wat meneer Roorda mij gaf voor mijn trouwdag?"

„Jazeker, dat prachtige halssnoer."

„Het was een familiestuk! De oudste schoondochter kreeg het altijd voor haar huwelijk."

„Dat heb ik begrepen."

„Hij beschouwde mij dus als zijn schoondochter."

„Dat vermoed ik wel."

„En... dan zijn Sjoerd en Jiske zijn kleinkinderen! Wat jammer dat hij ze zo weinig ziet."

„Dat is niet anders."

„En," gaat Dieuwertje bijna ademloos verder, „dan is Marije een zusje van Jan Anne. Een halfzuster."

Janna knikt en glimlacht om Dieuwertje, die zich zo plotseling verrijkt ziet met familie.

„Maar echt, geen mens behalve jij en Jan Anne mogen het weten. Jullie zullen hier heel voorzichtig mee om moeten gaan."

Dieuwertje knikt.

„Vanzelf."

Nog één ding schiet haar te binnen en dat moet ze kwijt.

„Feikje was hier op bezoek. Ze zei dat Jiske op Marije leek."

„Ja, dat heb ik ook gezien. We zullen het maar als toevallig beschouwen."

Nog een poos blijven ze zitten, vertrouwelijk pratend. Als Janna eindelijk afscheid neemt geeft Dieuwertje haar een kus.

„Nu hou ik nog meer van u dan eerst."

13

Na Pasen gaat Wiardus weer aan het werk, iedere morgen een paar uur. Hij vindt het heerlijk om zijn werkmanskiel aan te trekken en achter z'n werkbank te staan. Zodra hij moe wordt moet hij uitrusten, dat heeft de dokter hem bezworen. En geen zware aambeelden verslepen! Wiardus probeert zich te beperken. De leiding van de werkplaats laat hij graag aan Wicher over. Ook blijft Aagje de klanten te woord staan. Dat loopt allemaal voortreffelijk. Hij zelf kan zich met een gerust hart wijden aan datgene wat hij het liefste doet: werken met het zilver.

Op een ochtend begint hij aan de filigrainversiering voor een palmhouten doos. Eerst maakt hij een skelet van stevig zilverdraad. Dan komt het moeilijkste. Hij draait twee ragdunne draden om elkaar en vormt ze tot fraaie vormen. De ochtend is al een heel eind gevorderd als hij zijn gereedschap neerlegt. Genoeg voor vandaag. Morgen zal hij het filigrain binnen het skelet vastsolderen. Een nauwkeurig werkje. Hij herinnert zich hoe hij dit, als leerling van zijn vader, voor 't eerst deed. Hij had zijn soldeer veel te warm gemaakt en voor zijn ogen smolt het filigrain ineen tot een onooglijk klompje zilver. Glimlachend denkt hij eraan terug. Wat is dat lang geleden.

Hij groet zijn personeel en wandelt naar huis. Daar gaat hij op zijn geliefde plek in de tuin zitten, waar Feikje hem zijn koffie brengt. Zijn gedachten zijn nog in de werkplaats. Wicher heeft van het gilde de opdrachten voor de meesterproef gekregen. Een bewerkte beker en een ring met steen. Over twee maanden moeten de werkstukken klaar zijn. Wicher zal minder tijd aan het andere werk kunnen besteden. En dat terwijl er zoveel bestellingen liggen. Wiardus verwenst zijn zwakke gezondheid. Een half jaar geleden werkte hij nog van zonsopgang tot zonsondergang. En nu? In elk geval kan hij vanmiddag wel het ontwerp tekenen voor de tasbeugel die door een rijke boerin besteld is.

Gelukkig is het avondmaalsstel klaar. Johannes heeft een keurige brief aan de Franeker kerkeraad geschreven. Nu is het maar afwachten tot de heren hun bestelling komen halen. Het duurt wel lang. Zijn ze het geld nog aan het inzamelen? Wiardus piekert verder. Burgemeester Arnoldi heeft twee grote kandelaars besteld. Zou Folkert die kunnen maken?

Bij het middagmaal vraagt Marije:

„Waar hebt u vanmorgen aan gewerkt papa?”

Hij vertelt over zijn filigrain en tekent de figuren met zijn vinger op het tafelkleed. Marije kijkt belangstellend toe.

Aagje ziet ze bezig met elkaar. Vroeger zou het haar geïrriteerd hebben. Maar sinds ze zelf haar bijdrage levert aan het bedrijf kan ze veel meer waardering opbrengen voor het ambacht waar ze rijk van worden. Wicher maakt ook mooie dingen. Ze heeft het avondmaalsstel gezien en is trots op hem. Nu nog de meesterproef en dan kunnen ze zich verloven. Een enkele keer vraagt ze zich af of haar keus wel de juiste was. Vooral wanneer ze een van haar vriendinnen betrapt op een neerbuigend glimlachje als het over Wicher gaat. Ze weet wat sommigen fluisteren. Trouwen met een knecht, terwijl er genoeg kandidaten zijn uit de rijkste families. Aagje denkt nog vaak aan haar droom, waarin ze zo verloren ronddoolde in dat grote huis. Wat een eenzaamheid! Het had te maken met de manier waarop ze vroeger leefde. Toen wilde ze door iedereen bewonderd worden. Pracht en praal waren belangrijker dan vriendschap en warmte. Dat laatste heeft ze van Wicher gekregen. Zeker, hij bewondert haar ook, maar niet op die overdreven, vleierige manier. Hij kan haar, wanneer ze eens uitschiet tegen het personeel, aankijken met een verwonderde, bijna bezeerde blik. Dan schaamt ze zich over haar felheid en bindt gauw in.

„Morgen ga ik het filigrain binnen het skelet vastsolderen,” hoort ze haar vader zeggen. „En dan bevestig ik het op dat palmhouten doosje. Ik denk dat het erg mooi zal worden.”

Opeens ziet Aagje dat haar vader een ambachtsman is in hart en nieren. Vroeger was hij in haar ogen vooral de deftige, rijke burger, die zich voor ontvangsten wist te kleden als een aristocraat, iemand die verstand had van muziek en boeken. Nu ziet ze de andere kant. Misschien is het ambacht wel het allerbelangrijkste in zijn leven. Zo zal het met Wicher ook zijn, denkt ze. Hij gaat op in zijn werk. Hij stelt net als papa hoge eisen en vindt er dan ook de diepste voldoening in. Aagje glimlacht tevreden.

„En?" vraagt Wiardus, „hoe gaan mijn dochters deze middag doorbrengen?"

„Om drie uur komt er zich een meisje presenteren," antwoordt Aagje. „Het is een zusje van Folkert, hij heeft mij gevraagd of ze hier kan komen werken."

„Hoe oud is ze?"

„Twaalf."

„Een geschikte leeftijd. Je kunt haar alles bijbrengen wat nodig is."

Zijn ogen kijken haar veelbetekenend aan. Ze weet waar hij op doelt. Behandel haar alsof het een eigen kind is.

„Als ze net zo toegewijd is als Folkert dan zal het wel lukken," glimlacht Wiardus. Hij kijkt naar Marije.

„Ik ga naar het atelier papa. En u?"

„Eerst maar eens naar boven, denk ik. Een fijne middag kinderen."

„Dámes," verbetert Marije hem.

„Neem me niet kwalijk mejuffrouw."

Marije beloont hem met een kus.

„Slaap lekker, lieve papa."

Wiardus ligt op bed, dankbaar voor de goede sfeer in huis. Dat is wel eens anders geweest. Zijn dochters zijn gelukkig. Maar hoe is het met die ander? Zijn zoon. Heeft Janna al met hem gesproken? Dat moet haast wel, Janna is voortvarend. Hoe heeft Jan Anne het opgevat? Zou hij erg van streek zijn? Of boos?

Wiardus heeft dikwijls aan hem gedacht. Als hij buiten wandelde, verlangde hij er soms heftig naar dat hij hem tegen zou komen. Dan kon hij hem uitnodigen in het koffiehuis. Aan de andere kant zag hij ook tegen de ontmoeting op. Misschien minacht Jan Anne hem en wil hij hem nooit meer zien. Die gedachte doet Wiardus pijn. Zijn zoon, op wie hij heimelijk trots is. Janna's zoon, van wie hij ook houdt omwille van de moeder.

Wees niet zo bang Wiardus, zegt hij tegen zichzelf. Nodig hem bij je thuis uit. Wat kan er mis gaan? Niemand zal daar iets achter zoeken. Uit zichzelf zal hij heus niet op komen dagen, dat zou verregaand aanmatigend zijn.

Ik doe het, denkt Wiardus. Ik nodig hem uit, wat er ook van komt. Dat besluit geeft hem rust. Hij zoekt een dag uit waarop Marije naar de glasgraveur is en Aagje haar vriendinnenmiddag heeft. 's Morgens stuurt hij Bouke met een briefje naar de werkplaats van Jan Anne.

Geachte heer Gerbrandy,
Gaarne zou ik een kort onderhoud met u hebben. Schikt het u vanmiddag om drie uur bij mij thuis?

Hoogachtend,
W. Roorda.

Ze zitten in de groene kamer. Feikje heeft voor allebei een kop koffie gebracht. Jan Anne roert er langdurig in. Hij voelt zich bar ongemakkelijk en staart zwijgend naar zijn handen.
„Je moeder heeft met je gesproken, neem ik aan?"
„Ja."
„Het was, denk ik een hele schok voor je."
„Inderdaad."
„Toen ik een paar jaar geleden ontdekte dat ik een zoon had, heb ik me heel erg schuldig gevoeld. Het was verkeerd wat ik in mijn jonge jaren heb gedaan."
„Ja. Maar moeder heeft altijd gezegd dat ik uit liefde geboren ben."
„Dat ben je ook Jan Anne. Maar toch heb je er moeite mee?"
„Niet met wat vroeger gebeurd is. Daar had ik me allang bij neergelegd. Maar wel dat ik u in de afgelopen jaren een aantal keren ontmoet heb. Ik bestelde een knottekistje bij u, ik kwam vertellen dat Jiske geboren was. En al die keren wist ik niet dat u mijn váder was. Ik voel me bedrogen!"
Zijn stem schiet uit nu hij er weer aan denkt.
„Sst." Wiardus maant hem tot kalmte. „De muren hebben oren. Het personeel hoeft niet te vernemen waar we het over hebben. En daar zitten we precies bij het probleem. In deze geschiedenis is je moeder natuurlijk het meest kwetsbaar. Ik kon niets voor haar doen. Behalve het geheim zorgvuldig bewaren."

Jan Anne denkt aan de kei die hij tegen zijn hoofd kreeg en aan het gemene scheldwoord. Ook zijn moeder is nageroepen op straat.

„U hebt gelijk. Maar toch ben ik van mening dat ík het wel had moeten weten."

„Je hebt gelijk." Wiardus zucht. „Het spijt me. Erg veel heb ik niet voor jullie kunnen doen."

„Toch wel."

Jan Anne begint opeens te lachen. „Er was een anoniem persoon die mij het geld gaf om de meesterproef af te leggen en mijn eigen werkplaats te kopen."

Nu lacht Wiardus ook.

„Daar val ik door de mand. Ik was blij Jan Anne, dat ik hierin mijn vaderlijke plichten tenminste kon nakomen."

„En ooit hebt u dat prachtige knottekistje voor Dieuwertje gemaakt."

„Nog nooit heb ik met zoveel liefde aan iets gewerkt. Ik ben blij met jullie, met heel je gezin."

Jan Anne knikt. Hij heeft er vaak iets van gemerkt. Het is voor meneer Roorda natuurlijk moeilijk geweest dat er zoveel afstand moest zijn.

„Helaas ziet u niet zo veel van dat gezin. Misschien kan Dieuwertje nog eens komen met de kinderen."

„Dat zou ik erg op prijs stellen. Als jullie maar uiterst voorzichtig blijven. Ik zeg dat niet voor mezelf, maar vooral voor je moeder."

Jan Anne waardeert het. Hij voelt hoe deze man ondanks zijn rijkdom en aanzien heel dicht bij hen staat."

„Ik ben blij dat ik u vanmiddag ontmoet heb," zegt hij. „Nu hoor ik mijn werk roepen."

„Dat begrijp ik. Wil je nog even met me meelopen naar de salon?"

Bij de pronkkast blijft Wiardus staan.

„Kijk Jan Anne, allemaal familiezilver. Als ik er straks niet meer ben dan is het voor de kinderen. Voor Aagje en Marije. Maar aan mijn zoon zou ik ook iets willen geven Een kleinigheid. Het mag niet te zeer opvallen."

Mijn zoon! Daarmee wordt niet IJsbrand bedoeld, nee, die zoon is híj.
Wiardus haalt een sleuteltje tevoorschijn, opent de kast en neemt er een zilveren horloge uit.
„Dit was van mijn vader. Mag ik het jou geven?"
Het overrompelt Jan Anne. Een familiestuk voor hém, omdat hij een zoon is! Dat betekent oneindig veel meer voor hem dan het kostbare horloge.
„Dank u wel meneer," stamelt hij.
„Zou je mij voor één keer anders willen noemen?" vraagt Wiardus.
Jan Anne kijkt in de oude, vermoeide ogen en leest er een verlangen in dat hem heftig ontroert.
„Dank u wel vader," zegt hij.
„Alsjeblieft zoon. Bewaar het goed."

Marije draait het glas in haar hand om en om. Wekenlang heeft ze gewerkt aan de gravure: een druiventros met ranken en bladeren. Het is goed geworden, denkt ze, papa zal het ook mooi vinden. Voorzichtig polijst ze de plekken waar nog scherpe randjes zitten.
De graveur bekijkt het werkstuk.
„Uitstekend, juffrouw Roorda. Wat mij betreft is het klaar. Hebt u al bedacht wat u hierna wilt maken?"
„Dat schip met volle zeilen?"
Marije haalt het ontwerp uit haar mand en laat het aan de leraar zien.
„Ja, dat zou kunnen. Hoewel, u hebt zulke voorbeeldige ranken gemaakt. Ik vind dat u nu wel met gekalligrafeerde letters mag beginnen."
Marije kijkt verrast op. Dat is weer een stap verder.
„Zullen we het eens proberen?"
„Graag."
„Ik heb hier wel een paar voorbeelden. U mag natuurlijk ook zelf een ontwerp maken."
„O, maar dat héb ik al."
Een paar weken geleden is ze op de gedachte gekomen om voor Aagje en Wicher iets moois te maken. Hun eigen letters door

elkaar gevlochten tot een sierlijk monogram, gegraveerd op een glas. Een passend cadeau voor hun bruiloft. Ze heeft haar idee meteen uitgewerkt.

„Laat u me maar eens zien."

„Ik heb het thuis, ik wist niet dat ik er nu al aan beginnen mocht."

„Tja."

„Ik haal het even op."

De leraar glimlacht om haar bevlogenheid.

„Dan zie ik u zometeen terug."

Het is maar een paar straten ver. Marije gaat door de keuken naar binnen. Ze doet in huis zo stil mogelijk. Papa zal wel liggen te rusten, hier of boven. Tot haar verwondering hoort ze gepraat in de groene kamer. Is er bezoek? De dokter? Of de dominee misschien? Maar die komt niet meer, nu papa weer zelf naar de kerk kan. Papa heeft niets over een bezoeker gezegd. Opeens klinkt er een heftig verontwaardigde stem. 'En al die keren wist ik niet dat u mijn váder was. Ik voel me bedrogen.' Sussende woorden van haar vader komen er direct achteraan.

Marije staat als versteend in de hal. Mijn váder? Over wie gaat het? Heeft papa iemand bedrogen? Opeens weet ze aan wie die luide stem toebehoort. Jan Anne! De gedachten stormen door haar hoofd. De praatjes over moeder Janna! Jan Anne, die geen zoon van Gerbrandy is. Een ander was de vader. En die vader is papa!

Een misselijk gevoel trekt door haar maag. Ze rukt zich los van haar plek bij de kamerdeur en sluipt naar boven. In haar eigen kamer valt ze neer op een stoel, verbijsterd door wat ze zojuist gehoord heeft. Papa, die ze altijd zo bewonderd heeft, is dus ook van het rechte pad afgeweken. Met zijn rechtschapenheid is hij altijd haar grote voorbeeld geweest. Maar nu breekt er iets kapot. Hij is niet de betrouwbare ouder op wie ze haar hele leven gesteund heeft.

Marije zit op haar stoel en huilt. Ze heeft het gevoel dat het mooiste van haar kinderjaren haar is afgenomen. Papa, hij ook, net als zoveel anderen. Wie kan ze dan nog vertrouwen? Johannes? Het is te hopen.

Beneden hoort ze de voordeur dichtslaan. Ze staat op en kijkt naar buiten. Ja, het is Jan Anne, ze heeft zich niet vergist. Langzame voetstappen komen de trap op. Papa gaat naar zijn eigen kamer, om te rusten. Ze wil hem nu beslist niet zien. En hij hoeft evenmin te weten dat zij hier thuis is, en die vreselijke woorden heeft gehoord. Ze wacht tot het helemaal stil is in de kamer naast de hare. Dan zoekt ze haar ontwerp en sluipt naar beneden.

„Dat duurde lang, juffrouw Roorda," zegt de glasgraveur.

„Ik kon het zo gauw niet vinden," jokt Marije.

Gedurende de rest van de les probeert ze haar aandacht bij het werk te houden. Veel komt er niet uit haar handen.

's Avonds aan tafel is ze zwijgzaam.

„Heb je fijn gewerkt op het atelier?" vraagt Wiardus.

„Ja papa," antwoordt ze stug.

Verwonderd kijkt hij haar aan. Die toon is hij niet van haar gewend.

„Is er iets gebeurd Marije?"

„Nee, wat zou er gebeurd zijn?"

Na het eten zegt ze:

„Ik ga nog even naar Johannes."

Aha, denkt Wiardus, wringt daar de schoen.

„Laat Bouke met je meelopen."

„Goed," zegt ze onverschillig.

Ze doet haar mantel aan en gaat via de keuken naar buiten. Bouke heeft ze niet nodig, ze kan wel alleen. Wat papa zegt daar trekt ze zich niets van aan.

Gelukkig is Johannes thuis.

„Ik wil je graag alleen spreken," zegt Marije.

Moeder Jitske trekt haar wenkbrauwen op, ze vindt het ongepast. Maar Johannes ziet aan Marijes gezicht dat er iets aan de hand is. Hij neemt haar mee naar de winkel. In een hoekje zitten ze naast elkaar en daar stort Marije haar hart uit. Johannes laat haar rustig gaan en zwijgt daarna nog een poos.

„Dat heeft je wel aangegrepen," zegt hij tenslotte.

„Ik vind het afschuwelijk! Dat papa zoiets gedaan heeft! Ik dacht altijd dat hij rechtschapen was."

„Dat is hij ook Marije."
Verbaasd kijkt ze hem aan.
„En dat zeg jíj? Moet ik aan jou ook twijfelen?"
Hij lacht.
„Nee, want wij zijn verloofd. Maar ga eens na, hoe oud was je vader toen hij bevriend was met Janna?"
Marije rekent.
„Vijfentwintig."
„Kende hij je moeder toen al?"
„Dat weet ik niet, ik denk het niet."
Johannes weet het wel.
„Je vader was bijna dertig toen hij trouwde, dat heeft hij me een keer gezegd. Ik vond mezelf al zo'n oude kerel om in de huwelijksboot te stappen. Maar hij troostte me door te zeggen dat hijzelf nog ouder was."
„Dus hij was nog vrij man?"
„Ja. Hij is niemand ontrouw geweest."
„Johannes, wíst jij dit?"
„Ik had een vermoeden, meer niet. Vind je dat je vader oneerbaar gehandeld heeft? Twee jonge mensen die, als ik ze een beetje ken, vast heel veel van elkaar gehouden hebben?"
„Ja, dat moet wel."
„En dat doen ze nog, vermoed ik."
„Nee toch!"
„Wat is daar verkeerd aan? Mag er geen genegenheid zijn, ook als je je jeugd ver achter je hebt gelaten?"
„Och, natuurlijk wel. Maar waarom zijn ze nooit met elkaar getrouwd?"
„Denk eens aan het standsverschil. Ze waren wat dat betreft volstrekt onbereikbaar voor elkaar."
„Wat erg eigenlijk," verzucht Marije. Plotseling herinnert ze zich haar eigen verdriet. „Deze winter dacht ik ook dat jij voor mij onbereikbaar was, Johannes."
„Hoe kom je dáár bij?"
„Nou, je bent zo knap en je hebt goede vooruitzichten. Ik dacht dat je mij een dom kind vond."
„Marije! Ik was juist bang dat jij voor mij onbereikbaar was.

Mijn vader was maar een brouwersknecht."
„Daar geef ik niet om," zegt ze achteloos.
„En voor je vader was dat ook geen bezwaar," herinnert Johannes zich. „Misschien dacht hij terug aan zijn eigen geschiedenis, lang geleden. Marije, wat ben ik blij dat wij elkaar wel mogen toebehoren."
Er volgt een lange kus.
„Marije, lieveling. Wanneer gaan we trouwen?"
„Zo gauw mogelijk. Deze zomer?"
„Is dat niet te snel voor je?"
„O nee, waar zou ik op wachten? Ik zal papa toevertrouwen wat onze grote wens is."
„Doe dat famke. Hoe denk je nu over je vader, nu je weet dat hij net zo feilbaar is als ieder mens?"
„Toch wel anders. Hij heeft z'n hart op de rechte plaats."
„Dat is zeker waar. Kom, ik breng je thuis."

Het heeft een paar dagen geregend, maar op een ochtend schijnt de zon weer volop. Johannes stapt op de trekschuit naar Sneek. Hij heeft geen zin om in de benauwde roef te zitten, liever zoekt hij een plekje aan dek. Zodra ze de stad uit zijn verrast het vergezicht hem. Hoge witte wolken stapelen zich boven de weilanden. Het frisse groen is bezaaid met gele bloemen. Op de laagste plekken schitteren waterplassen. Kieviten buitelen door de lucht.

Johannes geniet. In dit wijde landschap kan hij rustig nadenken. Marije en hij hebben elkaar de laatste dagen wat vaker opgezocht dan anders. De schok van verleden week is ze weer te boven gekomen. Ze heeft ervan geleerd dat haar vader net zo feilbaar is als alle andere stervelingen. Het ideaalbeeld dat ze van hem had is aan scherven gevallen. Dat kan geen kwaad, vindt Johannes, want dat hoorde bij haar kindertijd. Nu heeft ze haar vader aanvaard zoals hij is en ze houdt niet minder van hem. Over het geheim dat ze aan de weet is gekomen zal ze zwijgen als het graf. Marije! Wat een geluksvogel is hij toch.

Gisteren is hij samen met haar naar de bruiloft van Feikje geweest. Om vast in de stemming te komen, zei Marije. De plechtigheid in de kerk duurde maar kort. Meneer Roorda was er ook, met Aagje. Maar alleen zij tweeën gingen naar het feest in de Haniasteeg, waar buren en een handjevol kennissen zich volstopten met krentenbrood en gebak. Het bier schuimde overvloedig in de kroezen.

Het bruidspaar was gelukkig en Jorrits muoike zat het vanuit haar hoekje tevreden aan te kijken. Johannes is blij dat hij een kleine bijdrage heeft mogen leveren aan Feikjes levensgeluk. Opnieuw neemt hij zich voor dat hij ook in de toekomst klaar wil staan voor de minder bedeelden.

De trekschuit legt aan. Een marskramer gaat van boord en loopt met z'n kist op de rug het wijde land in. Die zal hier ook niet veel klanten vinden, denkt Johannes. Maar in de verte tekent zich een dorpje af tegen de horizon. Hij denkt aan zijn eigen opdracht. Informeren hoe het met het wichtje gaat waar meneer Roorda iedere maand een paar kostbare guldens voor neertelt. Is het kind gezond? Wordt het goed verzorgd en gaat het al naar school? Hij moet het kind zelf zien. Want de mogelijkheid bestaat dat het intussen gestorven is. De verleiding om dit niet te melden en de toelage gewoon op te blijven strijken is maar al te groot. En zo'n hoogstaande vrouw is die moeder ook niet. Johannes herinnert zich dat ze met meerdere mannen omgang had, maar het vaderschap bij IJsbrand legde. En daar ligt het moeilijkste deel van zijn opdracht. Is het kind een Roorda? Of niet? Geen mens kan daarover zekerheid verschaffen. Maar hij moet van meneer Roorda de vraag wel voor ogen houden.

Halverwege de morgen stapt hij aan wal. In de verte ligt het dorp Wieuwerd, de schipper heeft het hem gewezen. Langs een dijk die nog glibberig is van de regen komt hij bij het dorp. Mensen wijzen hem de weg. Weldra heeft hij de boerderij gevonden. Een oude vrouw komt naar buiten.

„Zoekt u iets?"

Het klinkt wantrouwend.

„Ik moet bij vrouw Roelofs zijn."

„Die is er niet."

„Dan kunt u mij misschien helpen. Ik kom namens notaris Buwalda om te zien hoe het kind het maakt."

De naam van de notaris doet wonderen.
„Komt u maar binnen."
Johannes krijgt een stoel aangeboden en kijkt rond in de eenvoudige keuken. Het ziet er verzorgd en opgeruimd uit. De vloer is geveegd.
„Kan ik het meisje zien?"
„Jazeker."
Even later staat het kind voor hem. Johannes kijkt haar onderzoekend aan. Donkere ogen in een smal gezichtje. Een bos krullen, die niet in bedwang gehouden worden door een mutsje. Hij heeft weinig ervaring met kinderen. Sjoerd is de enige met wie hij regelmatig speelt.
„Hoe heet je?"
„Mayke."
„Hoe oud ben je?"
„Vijf. Als ik zes ben mag ik naar school."
„Vind je dat fijn?"
Het kind knikt heftig.
Een pittig ding, denkt Johannes.
„Wat wil je later worden?"
„Borduurster. Ik ga van die mooie dingen maken. Een beugeltas en handschoenen en zo. En die ga ik verkopen voor veel geld."
De vrouw kijkt geringschattend.
„Ze wil een deftige dame worden. Geen wonder, ûlen briede ûlen. *) Voor het gewone werk haalt ze haar neus op."
„Is Mayke uw kleinkind?"
„Nee, een achternichtje."
„En waar is de moeder?"
Johannes ziet de korte aarzeling.
„In het dorp om een zieke te verplegen."
„Ik zou haar graag spreken."
„Eh… die ziekte is heel besmettelijk."
Hij vraagt zich af wat ze probeert te verbergen. Dan richt hij zijn aandacht weer op het kind. Daarvoor is hij tenslotte gekomen.
„Waar hou je veel van?"

*) Uilen broeden uilen uit.

„Sûpengroattenbrij." *)
Johannes schiet in de lach.
„Ik bedoelde om mee te spelen."
„Bikkelen. Een huisje maken. Tante leert mij breien."
Hij knikt tevreden.
„Ik heb iets voor je meegebracht."
Uit zijn ransel haalt hij een lei en een doos griffels. Het meisje kijkt er geïnteresseerd naar.
„Voor als ik naar school ga."
„Je mag er nu ook wel op schrijven," zegt Johannes. „Of tekenen. Probeer maar eens."
„Wat moet ik tekenen?"
„Een huisje. Of een schaap."
Vol ijver gaat ze aan de gang.
„Is het zo goed?"
„Ja hoor. Hier is nog een presentje voor je."
Hij geeft haar een doosje kralen.
Verrukt kijkt ze ernaar.
„Tante, nou kan ik een ketting maken!"
„Net een ekster," schimpt de oude vrouw. „Alles wat glinstert vindt ze prachtig."
Zo ken ik er meer, denkt Johannes.
Hij staat op en neemt afscheid.
„Dank u wel voor de ontvangst. Dag Mayke."

Nog diezelfde avond brengt hij verslag uit aan zijn werkgever. Als hij alles verteld heeft vraagt Wiardus:
„Heb je nog gelijkenis met IJsbrand opgemerkt?"
De vraag komt er moeilijk uit.
„Niet veel," antwoordt Johannes. „Ze doet me meer aan Aagje denken."
„Zou 't een Roorda kunnen zijn?"
„Waarschijnlijk wel."
Zwijgend laat Wiardus het op zich inwerken. Dan begint hij over iets anders.

*) karnemelkse gortepap

„Van Marije begreep ik dat jullie graag willen trouwen. Ik vind het een uitstekend idee."
Johannes' hart begint sneller te kloppen.
„U vindt Marije niet te jong?"
„Ze wordt negentien. En ik zie dat ze geen kind meer is. Zullen we een dag in juni afspreken voor de verloving? Er staat op de Turfmarkt een huis te koop dat me heel geschikt lijkt voor jullie."
Johannes slikt, hij weet welk huis meneer Roorda bedoelt.
„Dat is wel erg groot."
En duur, denkt hij erbij.
„Ik geef het als huwelijkscadeau. En ik zal op Marijes naam wat geld laten vastzetten."
„Ik had liever zelf het nest gebouwd," mompelt Johannes.
Wiardus lacht.
„Ik draag alleen wat nestmateriaal aan. Voor de rest moet je zelf zorgen. En schroom niet om het aan te nemen. Als ik er niet meer ben krijgt Marije haar hele erfdeel. Jullie zullen nooit financiële zorgen hebben."
„Ik ben er stil van."
„Ik handel ook uit eigenbelang Johannes. Het geeft me rust als Marije onderdak is. Bij jou nog wel. Misschien kan ik nog wat mee genieten van jullie geluk."

Wiardus zit in zijn comptoir om een brief te schrijven. Deze keer kan hij het karwei niet aan Johannes overlaten.

Leeuwarden, mei 1736.

Geliefde zoon,

We hebben dit jaar nog geen bericht van je ontvangen. Maar Indië is ver en ik weet dat de post niet altijd zijn bestemming bereikt. Ik hoop dat je het goed maakt. Van Blok hoorde ik dat je in de bergen bent gaan wonen, waar het klimaat gunstiger is dan in Batavia. Moge dat je gezondheid ten goede komen.

Wiardus zucht. Over de vrouw die IJsbrand bij zich laat wonen en over die kinderen kan hij natuurlijk met geen woord reppen. Dus beperkt hij zich tot het nieuws uit zijn eigen huis.

In juni zullen we de verloving vieren van Marije en Johannes Douma. Je kent hem wel, hij is de broer van Dieuwertje, en is nu als jurist werkzaam. De smederij komt later in handen van Wicher Aykema. Hij is bezig voor de meesterproef. Als hij die heeft afgelegd mogen Aagje en hij zich gaan verloven. Het is Aagjes eigen keuze. Ik ben blij dat ze met een flinke ambachtsman zal trouwen. Het stemt me tevreden dat je beide zusters een goede echtgenoot gevonden hebben. Want de afgelopen winter ben ik ernstig ziek geweest. Nu ben ik gelukkig hersteld, maar mijn krachten zijn niet geheel teruggekeerd. 's Ochtends werk ik een paar uur in de smederij, verder rust ik veel.

Dan moet ik je nog zeggen dat Johannes, mede in opdracht van Buwalda, naar Wieuwerd is gereisd om te zien of het kind goed verzorgd wordt. Johannes was tevreden. Het lijkt een gezond en pittig meiske, dat hem sterk aan Aagje doet denken. We mogen aannemen dat jij inderdaad de vader bent. Ik vind dat je dit moet weten.

Tot slot wil ik je het beste wensen. In dit bestaan zullen wij elkaar wellicht niet meer ontmoeten. Moge God zich over ons allen ontfermen.

Je liefhebbende vader,
W. Roorda.

Op de verlovingsdag is het stralend weer. Marije heeft een nieuwe japon aan van lichtblauwe zijde. Een kanten mutsje en zilveren sieraden maken alles compleet. Zelfs Aagje is tevreden.

Ze zijn met z'n tweeën in de salon en wachten op Johannes. Marije loopt ongedurig rond. Aagje plaagt haar:

„Hij is het vast vergeten. Of hij heeft zich verslapen."

Als de klopper op de buitendeur valt snelt Marije naar de voordeur. Aagje blijft hoofdschuddend achter. Manieren zal Marije nooit leren. Een echte dame laat het bezoek niet zelf binnen, dat

doet het personeel. Zeker op een dag als deze hoort alles deftig toe te gaan.
Johannes heeft zich feestelijk uitgedost. Hij heeft zelfs een geborduurd vest aangeschaft. Aagje begroet hem hartelijk.
„Wat zie je er geweldig uit."
„Dank je wel Aagje. Jij ook trouwens."
Wiardus komt binnen. Het wachten is op de notaris. Als ze de klopper horen zegt Aagje:
„Moet jij niet opendoen Marije?"
„Er is er maar één voor wie ik de deur openmaak," antwoordt ze, terwijl ze haar hand vertrouwelijk door Johannes' arm steekt.
Buwalda komt handenwrijvend binnen en krijgt een stoel. Na een heleboel plichtplegingen haalt hij het huwelijkscontract tevoorschijn en leest het voor. Johannes is onder de indruk. Het huis aan de Turfkade wordt zijn eigendom op de dag dat ze trouwen. Een maandelijkse toelage voor Marije, waarvan ze zeer royaal kunnen leven. Zelf vindt hij het nog steeds te veel. Maar Marije is die weelde gewend en daarom kan hij alles aanvaarden.
Het inktstel staat al te wachten. Wiardus ondertekent als eerste, daarna mag Johannes. Buwalda strooit zand over de akte en staat op.
„Mag ik u allemaal gelukwensen? Meneer Roorda, mejuffrouw Roorda, meneer Douma. Mede namens mijn vrouw wil ik het verloofde paar een geschenkje aanbieden."
Ze krijgen een prachtige porseleinen kom.
„Japans," zegt Wiardus waarderend.
„Inderdaad."
Dan is het Johannes' beurt. Hij schuift een gouden ring met een steentje aan Marijes vinger. Een plechtige kus volgt. De formaliteit is afgelopen. Ze drinken koffie. Wiardus en Buwalda roken een pijp.
„Kom Douma, rook je niet met ons mee?" vraagt Buwalda.
„Ik kan er niet aan wennen meneer."
„Je weet niet wat je mist."
Johannes lacht breed.
„Ik kom werkelijk niets tekort."

’s Middags komen de vrienden en vriendinnen met hun gelukwensen en geschenken. Er wordt gelachen en gezongen. Tot er nieuwe bezoekers binnenkomen. Jan Anne en Dieuwertje, met Jan Annes moeder. Plotseling valt er een onbehaaglijke stilte. Marije voelt zich boos worden; ze weet wat er gedacht wordt. Daarom loopt ze vlug naar hen toe.
„Moeder Janna, wat fijn dat u gekomen bent!”
„Gefeliciteerd Marije. Jij ook Johannes.”
„We hebben een nieuwtje, moeder Janna,” verklapt Marije. Ze praat luid genoeg om voor iedereen verstaanbaar te zijn. „We gaan aan de Turfmarkt wonen, vlak bij u. Kunnen we zomaar bij elkaar aanlopen!”
Wiardus is onuitsprekelijk trots op zijn dochter.
De muziekmeester arriveert. Het dansen kan beginnen. Johannes en Marije openen met een menuet. Wiardus zit dicht bij het klavecimbel. Hij geniet van de muziek, het dansen laat hij aan de jongelui over. Tevreden trekt hij aan zijn pijp en kijkt naar de mensen in de salon. Ouderen, met al een hele levensgeschiedenis. Jongeren, die naar de toekomst kijken. Iedereen met zijn eigen geheimen, zijn eigen verlangens. Bij de schouw ziet hij Janna en Jan Anne zitten. Johannes voegt zich bij hen. Ze raken in een geanimeerd gesprek.
Dieuwertje danst vol overgave de bourrée. Als de muziek zwijgt komt ze naast Wiardus zitten.
„Wat een mooi feest, meneer Roorda. Is het niet te druk voor u?”
„Nee hoor, maak je geen zorgen.”
„Marije vroeg of ik de kinderen mee wilde nemen. Maar het leek me beter om een andere keer met ze te komen.”
„Daar zou je goed aan doen,” zegt hij dankbaar. „Gaat het nu beter met Jiske?”
„Gelukkig wel, ik ben blij dat het zomer wordt. Sjoerd kan dan ook meer naar buiten. Hij heeft steeds meer ruimte nodig, die druktemaker.”
Ze vertelt opgewekt verder over haar kinderen, tot Johannes haar komt uitnodigen voor de volgende dans.
Later op de middag komt Wicher. De smederij is wat vroeger

dichtgegaan. Aarzelend komt hij binnen. Aagje gaat vlug naar hem toe, geeft hem een arm en neemt hem mee naar het verloofde stel. Daarna loodst ze hem langs haar vader en de andere gasten. Wiardus kijkt hen na. Zal Wicher kunnen wennen in deze omgeving? Hij doet zijn best. Als hij koffie heeft gekregen raakt hij aan de praat met Jan Anne. Wiardus glimlacht. Twee bevlogen ambachtslieden, dat móet wel lukken. Jan Anne wijst naar het houtsnijwerk langs de schouw en legt iets uit. Wicher luistert aandachtig en vraagt de mening van Janna, die lachend commentaar geeft.

Wiardus is blij met de kring mensen rondom Marije en Johannes. Mensen die elkaar op dit feest ontmoeten, die elkaar leren kennen en zich samenvoegen tot een prachtig patroon. Zoals mijn filigrain op de palmhouten doos, mijmert hij. Een speels lijnenspel. En temidden van al die mensen ziet hij Johannes en Marije.

Nog even, en ze zullen trouwen. Hij hoopt dat er spoedig kleinkinderen zullen zijn. Hoewel, kleinkinderen hééft hij al! Die twee van Dieuwertje. En het meiske in Wieuwerd. Tenslotte in Indië nog die twee jongens van IJsbrand. Wiardus zucht. Wat een vreemde gangen gaan we toch, denkt hij. En wie gaat er vrijuit? Ikzelf zeker niet.

's Avonds zitten ze aan het diner. Wiardus heeft bij het begin van de maaltijd een dankgebed uitgesproken, dat uit de volheid van zijn hart kwam. Nu kijkt hij met genoegen de kleine kring rond. Marije en Johannes zitten naast hem, Aagje en Wicher aan de andere kant. De kaarsen zijn aangestoken, ook al komt er nog voldoende licht van buiten. Na al het feestgedruis geniet hij van deze verstilling en intimiteit.

„Bent u moe papa?" vraagt Marije.

„Nauwelijks."

„U bent zo stil."

„Ik zit maar wat te dromen, famke."

„Ik ben benieuwd waarover."

„Over later, als jullie in je huis aan de Turfmarkt wonen," zegt hij. „In mijn droom zie ik daar op feestdagen al jullie geliefden bij elkaar komen. De kinderen die jullie, hoop ik, zullen krijgen. En Aagje en Wicher..."

„En uzelf natuurlijk papa."

„Ja. En jouw zusje, Johannes. Met haar man en kinderen."

„En de oate van de kinderen," vult Marije aan. „Weet je wat Johannes, we nodigen iedereen vast uit voor Kerstmis."

„Dat lijkt me geweldig," knikt hij. „Eén grote familie. Ik hoop dat we er allemaal zullen zijn."

„Uw droom wordt nog eens werkelijkheid papa," lacht Marije.

„Ik geloof het ook," zegt Wiardus.

Hij heft zijn glas.

„Op jullie toekomst, kinderen."